7日でおぼえる AutoCAD

[AutoCAD 2022 対応]

鳥谷部 真 著

本書をご購入・ご利用になる前に必ずお読みください

- 2021年6月、AutoCAD LTの新規販売が終了し、(業種別ツールセットを含まない)AutoCADが、AutoCAD LTと同価格で利用できるようになりました。このため本書は、執筆時点(2021年6月)の最新のAutoCAD 2022に対応した解説書になっています。ただし、2021年6月以前にAutoCAD LT 2022を利用し始めたユーザーのために、本書の内容はAutoCAD LT 2022にも対応しています。
- 本書の内容は、執筆時点の情報に基づいて制作されています。これ以降に製品、サービス、そのほかの情報の内容が変更されている可能性があります。また、ソフトウェアに関する記述も執筆時点の最新バージョンを基にしています。これ以降にソフトウェアがバージョンアップされ、本書の内容と異なる場合があります。
- 本書の利用に当たっては、AutoCAD 2022がパソコンにインストールされている必要があります(AutoCAD LT 2022でも操作できるよう解説しています)。
- AutoCAD 2022の体験版は、オートデスクのWebサイトからダウンロードしてください。当社ならびに著作権者、データの提供者(開発元・販売元)は、製品、体験版についてのご質問は一切受け付けておりません。
- 本書はWindows 10がインストールされたパソコンで、AutoCAD 2022およびAutoCAD LT 2022を使用して解説しています。掲載している画面・操作手順はAutoCAD 2022を使用し、AutoCAD LT 2022でも操作手順が同じ、または違いがわずかな場合は、AutoCAD LT 2022との違いを説明していません。AutoCAD 2022とAutoCAD LT 2022で操作手順や機能で大きく異なる部分については、必要に応じてAutoCAD LT 2022で操作手順を補足説明しています。
- 本書は、パソコンやWindowsの基本操作ができる方を対象としています。
- 本書の利用に当たっては、インターネットから練習用データをダウンロードする必要があります(014ページ参照)。そのためインターネット接続環境が必須となります。
- 練習用データを使用するには、AutoCAD 2022またはAutoCAD LT 2022が動作する環境が必要です。AutoCAD 2022またはAutoCAD LT 2022より古いバージョンでも使用できる場合がありますが、動作の保証はしておりません。
- 本書に記載された内容をはじめ、インターネットからダウンロードした練習用データ、プログラムなどを利用したことによるいかなる損害に対しても、データ提供者(開発元・販売元等)、著作権者、ならびに株式会社エクスナレッジでは、一切の責任を負いかねます。個人の責任においてご使用ください。
- 本書に直接関係のない「このようなことがしたい」「このようなときはどうすればよいか」など特定の操作方法や問題解決方法、パソコンやWindowsの基本的な使い方、ご使用の環境固有の設定や特定の機器向けの設定などのお問合せは受け付けておりません。本書の説明内容に関するご質問に限り、231ページのFAX質問シートにて問合せを受け付けております。

以上の注意事項をご承諾いただいたうえで、本書をご利用ください。ご承諾いただけずお問合せをいただいても、株式会社エクスナレッジおよび著作権者はご対応いたしかねます。予めご了承ください。

- Autodesk、Autodeskロゴ、AutoCAD、AutoCAD LTは、米国Autodesk,Incの米国およびそのほかの国における商標または登録商標です。
- 本書中に登場する会社名や商品名は一般に各社の商標または登録商標です。本書では®およびTMマークは省略させていただいております。

カバーデザイン	長健司(kinds art associates)
編集協力	中嶋孝徳
印刷	株式会社ルナテック

はじめに

　本書は世界的な定番CADソフトのAutoCADの2D機能を短期間でマスターするための参考書です。練習の計画を立てやすいように1日分の練習量で区切り、全体を7分割しました。全体とはAutoCADの全機能という意味ではなく本書の全体のことです。本書は建築設計図を作成するために必要な2D機能を取り上げていますが、紙幅に限りがあるので説明できなかった機能があります。しかしそれらの機能は知らなくても通常は困らないので、必要になったときにインターネットで検索するかAutoCADの「ヘルプ」で研究してください。

　本書は前著『7日でおぼえるAutoCAD LT』の改訂版です。前著は書名にあるようにAutoCAD LTに対応していました。幸いAutoCAD LTとAutoCADは2D機能だけ見るとほぼ共通なのでAutoCADでも使えるようにしていました。そして2021年6月にAutoCAD LTが販売終了になったため本書はAutoCAD対応に変わりました。内容は前著とほぼ同じ項目を取り上げていますが全体的に見直し、理解しやすいように項目の順番を入れ替えたり、AutoCADの最新版に合わせて最善と思われる操作法に変えています。

　AutoCADの最新バージョンは「2022」です（2021年6月現在）。AutoCADは設計・製図の現場で最新バージョンだけが使われているわけではありません。幸い2018以降に搭載された新機能は本書の範囲内ではとりあえず必要ないので取り上げていません。すなわちAutoCAD／AutoCAD LT 2017から2022までのユーザーでしたらそのまま本書で練習できます。ただし本書はAutoCAD 2022にだけに対応しているので、AutoCAD／AutoCAD LTの2021以前のバージョンではツールアイコンなど図版が異なる場合があり、読み替える必要があります。そこでAutoCADの開発元であるオートデスク社のサイトにあるAutoCAD 2022体験版（無償、30日間使えます）で本書の練習をすることをお勧めします。

　CADは他のソフトと同じで、手を動かして操作してはじめて理解できるものです。本書で使用している多数の練習用データをインターネットからパソコンにダウンロードしてから練習を開始してください。ダウンロードの方法は014ページに記しています。なお練習用データは2013形式で作成しているのでバージョン2013以降なら読み込めます。

　もし途中で引っかかるところがありましたら見落とした操作がないかを注意深く探してください。練習は1回だけでなく身体に染み込ませるようにイメージしながら何回も繰り返してください。このような繰り返しでAutoCADを自信を持って使えるようになります。

鳥谷部 真

Contents

7日でおぼえる AutoCAD
[AutoCAD 2022 対応]

はじめに	003	本書について	010
本書で使用している用語と記号	010	教材データのダウンロードについて	014
INDEX（索引）	227	本書に関する質問について（質問シート）	231

1日目 基本操作をおぼえる

1日目の練習内容 ……016

1.1 AutoCADの起動と終了 ……018
- 1.1.1 AutoCADを起動する ……018
- 1.1.2 タスクバーにピン留め ……019
- 1.1.3 AutoCADを終了する ……020

1.2 AutoCADの準備 ……021
- 1.2.1 作図ウィンドウの色を白にする ……021
- 1.2.2 右クリックをカスタマイズする ……022
- 1.2.3 画面を整理する ……023

1.3 AutoCADの画面と各部の名称 ……025

1.4 作図補助ツールの名称と設定 ……026
- 1.3.1 作図補助ツールの名称 ……026
- 1.3.2 作図補助ツールを設定する ……027

1.5 ファイルを開く、保存する、閉じる、新規図面を作成する ……029
- 1.5.1 ファイルを開く ……029
- 1.5.2 ファイルを保存する ……030
- 1.5.3 ファイルを閉じる ……031
- 1.5.4 新規図面を作成する ……031

1.6 画面コントロール機能 ……032
- 1.6.1 ホイールマウスで操作する ……032
- 1.6.2 画面コントロール用ツール ……033

1.7 ツールの起動とオプション ……034

1.8 操作に失敗したときは ……035
- 1.8.1 操作の途中では ……035
- 1.8.2 間違った操作をしてしまったら ……035

1.9 図形の選択と削除 ……036
- 1.9.1 図形を全部選択する ……036
- 1.9.2 選択を解除する ……036
- 1.9.3 図形を1つずつ選択する ……037
- 1.9.4 範囲指定で選択する ……037
- 1.9.5 図形を削除する ……038

1.10 直線を描く ... 039

- 1.10.1 テンプレートを開く ... 039
- 1.10.2 作図補助ツールを確認する ... 040
- 1.10.3 長さ12mの水平線を描く ... 040
- 1.10.4 水平・垂直線を続けて描く ... 041
- 1.10.5 不連続な水平線と垂直線を描く ... 041
- 1.10.6 極トラッキングを設定する ... 042
- 1.10.7 斜め線を描く ... 042
- 1.10.8 座標を入力して斜め線を描く ... 043
- 1.10.9 オブジェクトスナップを用いて直線を描く ... 044

1.11 構築線を描く ... 046

- 1.11.1 水平／垂直の構築線を描く ... 046
- 1.11.2 斜めの構築線を描く ... 048

1.12 円弧を描く ... 049

- 1.12.1 3点を指定して円弧を描く ... 049
- 1.12.2 中心から円弧を描く（左回り） ... 049
- 1.12.3 中心から円弧を描く（右回り） ... 050
- 1.12.4 中心と角度で円弧を描く ... 051

1.13 長方形を描く ... 052

- 1.13.1 長方形をフリーに描く ... 052
- 1.13.2 正確なサイズの長方形を描く ... 052

2日目 図形を描く

2日目の練習内容 ... 054

2.1 円を描く ... 056

- 2.1.1 中心点と半径を指定して円を描く ... 056
- 2.1.2 2点を指定して円を描く ... 057
- 2.1.3 3点を指定して円を描く ... 057
- 2.1.4 接円を描く ... 058

2.2 正多角形を描く ... 059

- 2.2.1 正多角形の基本的な描き方 ... 059
- 2.2.2 辺から正多角形を描く ... 060

2.3 ポリラインを描く ... 061

- 2.3.1 ポリラインを描く ... 061
- 2.3.2 ばらばらの図形をポリラインに変換する ... 062
- 2.3.3 ポリラインを曲線に変換する ... 063

2.4 NURBS曲線を描く ... 064

- 2.4.1 【スプライン】ツールでNURBS曲線を描く ... 064
- 2.4.2 NURBS曲線を編集する ... 064
- 2.4.3 NURBS曲線の始点／終点の接線方向を編集する ... 065

2.5 楕円と楕円弧を描く ... 066

- 2.5.1 3点を指定して楕円を描く ... 066
- 2.5.2 中心から楕円を描く ... 066
- 2.5.3 楕円弧を描く ... 067

2.6 点オブジェクトを描く ... 068

- 2.6.1 点スタイルを設定する ... 068
- 2.6.2 点オブジェクトを描く ... 069

2.7 ハッチング処理をする ……………………………………………………………… 070
- 2.7.1 ハッチングの基本的な描き方 — 070
- 2.7.2 複雑な範囲のハッチングを作成する — 071
- 2.7.3 ハッチングで塗り潰しする — 072

2.8 ブロックを使う …………………………………………………………………… 073
- 2.8.1 DesignCenterを使ってブロックを利用する — 073
- 2.8.2 角度を変えてブロックを配置する — 074
- 2.8.3 ブロックを作る — 074
- 2.8.4 ブロックを配置する — 076
- 2.8.5 ブロックを分解する — 077

2.9 ツールパレットを使う …………………………………………………………… 078
- 2.9.1 ツールパレットでブロックを配置する — 078
- 2.9.2 ツールパレットでハッチング処理する — 079
- 2.9.3 ブロックをツールパレットに登録する — 080

3日目 図形を編集する

3日目の練習内容 … 082

3.1 平行図形を生成する ……………………………………………………………… 084
- 3.1.1 【オフセット】ツールで平行図形を生成する — 084
- 3.1.2 【オフセット】ツールで同心円を生成する — 085
- 3.1.3 通過点を指定して平行図形を生成する — 085

3.2 線を切り取る ……………………………………………………………………… 086
- 3.2.1 【トリム】ツールで切り取りエッジを指定して切り取る — 086
- 3.2.2 2つの切り取りエッジを指定して切り取る — 086
- 3.2.3 【トリム】ツールの実用的な操作法 — 087
- 3.2.4 フェンス選択で一気にトリムする — 088

3.3 線を延長する ……………………………………………………………………… 089
- 3.3.1 【延長】ツールで境界エッジを指定して延長する — 089
- 3.3.2 【延長】ツールの実用的な操作法 — 090

3.4 コーナー処理をする ……………………………………………………………… 091
- 3.4.1 端部を揃える — 091
- 3.4.2 フィレットを生成する — 092
- 3.4.3 距離を指定して面取りする — 093
- 3.4.4 角度と距離を指定して面取りする — 093

3.5 線の一部を削除する ……………………………………………………………… 094
- 3.5.1 【部分削除】ツールを使う — 094

3.6 線を結合する ……………………………………………………………………… 095
- 3.6.1 【結合】ツールを使う — 095

3.7 図形を移動する …………………………………………………………………… 096
- 3.7.1 2点を指定して移動する — 096
- 3.7.2 直接距離入力で移動する — 097
- 3.7.3 グリップ編集で移動する — 098
- 3.7.4 グリップ編集で複写する — 099

3.8 図形を複写する ……………………………………………………………………………… 100
| 3.8.1 | 基点と目的点を指定して複写する ── 100 | 3.8.2 | 直接距離入力で複写する ── 101

3.9 配列複写する ……………………………………………………………………………… 102
| 3.9.1 | 2方向に配列複写する ── 102 | 3.9.2 | 1方向に配列複写する ── 103
| 3.9.3 | 回転させながら配列複写する ── 104

3.10 図形を回転する ……………………………………………………………………………… 105
| 3.10.1 | 極トラッキングで回転する ── 105 | 3.10.2 | 角度を指定して回転する ── 106
| 3.10.3 | ほかの図形に合わせて回転する ── 106

3.11 図形を鏡像にする ……………………………………………………………………………… 107
| 3.11.1 | 鏡像移動する／鏡像複写する ── 107

3.12 図形を変形する ……………………………………………………………………………… 108
| 3.12.1 | 図形を拡大／縮小する ── 108 | 3.12.2 | グリップ編集で線を変形する ── 108
| 3.12.3 | 【長さ変更】ツールで変形する ── 109 | 3.12.4 | 図形を伸ばす／縮める ── 110

4日目　応用操作

4日目の練習内容　112

4.1 図形の色 ……………………………………………………………………………… 114
| 4.1.1 | オブジェクトの色 ── 114 | 4.1.2 | 《インデックスカラー》タブで色指定する ── 115
| 4.1.3 | 《TrueColor》タブで色指定する ── 116 | 4.1.4 | 《カラーブック》タブで色指定する ── 116

4.2 図形の線の太さ ……………………………………………………………………………… 117

4.3 図形の線種 ……………………………………………………………………………… 118
| 4.3.1 | 線種を準備する ── 118 | 4.3.2 | 線種を使う ── 119

4.4 プロパティパレット ……………………………………………………………………………… 120
| 4.4.1 | プロパティパレットを呼び出す ── 120 | 4.4.2 | プロパティパレットの使い方 ── 121

4.5 画層（レイヤ） ……………………………………………………………………………… 122
| 4.5.1 | 画層を作成する ── 122 | 4.5.2 | 画層を使う ── 124
| 4.5.3 | 画層の表示／非表示を切り替える ── 125 | 4.5.4 | 画層をフリーズ／フリーズ解除する ── 126
| 4.5.5 | 画層をロック／ロック解除する ── 127 | 4.5.6 | 全画層を表示する／現在画層のみ表示する ── 128
| 4.5.7 | 画層を削除する ── 129 | 4.5.8 | オブジェクトを別の画層に移動する ── 130
| 4.5.9 | オブジェクトが属する画層を知る ── 130 | 4.5.10 | オブジェクトを指定の画層に複写する ── 131

4.6 グリッドとスナップ ... 132
- 4.6.1 グリッドを設定する — 132
- 4.6.2 グリッドとスナップを使う — 133

4.7 オブジェクトスナップ ... 134
- 4.7.1 定常オブジェクトスナップを設定する — 134
- 4.7.2 定常オブジェクトスナップを使う — 134
- 4.7.3 オブジェクトスナップのスナップモード — 136
- 4.7.4 一時オブジェクトスナップを使う — 138
- 4.7.5 オブジェクトスナップにない機能 — 139

4.8 オブジェクト スナップ トラッキング ... 141
- 4.8.1 オブジェクト スナップ トラッキングの使用例-① — 141
- 4.8.2 オブジェクト スナップ トラッキングの使用例-② — 142
- 4.8.3 オブジェクト スナップ トラッキングの使用例-③ — 143

5日目 文字と寸法

5日目の練習内容　148

5.1 文字 ... 149
- 5.1.1 フォントについて — 149
- 5.1.2 文字スタイルを作成する — 149
- 5.1.3 文字を記入する — 150
- 5.1.4 文字列を修正する — 152
- 5.1.5 【マルチテキスト】ツールを使う — 152
- 5.1.6 マルチテキストオブジェクトを修正する — 154

5.2 寸法 ... 155
- 5.2.1 寸法スタイルを設定する — 155
- 5.2.2 寸法用ツールを準備する — 157
- 5.2.3 【長さ寸法記入】ツールと【直列寸法記入】ツールで寸法を記入する — 158
- 5.2.4 斜め方向の寸法を記入する — 160
- 5.2.5 半径寸法を記入する — 161
- 5.2.6 角度寸法を記入する — 163
- 5.2.7 寸法スタイルを変える — 163
- 5.2.8 円を用いた角度寸法を記入する — 164

5.3 異尺度対応オブジェクト ... 166
- 5.3.1 縮尺を設定する — 166
- 5.3.2 文字の異尺度対応 — 168
- 5.3.3 レイアウトで確認する — 169
- 5.3.4 寸法の異尺度対応 — 170

6日目 印刷とデータ変換

6日目の練習内容　174

6.1 印刷 ... 175
- 6.1.1 ドライバソフトについて — 175
- 6.1.2 とりあえず印刷してみる — 177
- 6.1.3 ページ設定を保存する — 179
- 6.1.4 印刷スタイルテーブル — 179
- 6.1.5 印刷スタイルテーブルの内容 — 181
- 6.1.6 印刷スタイルテーブルの編集と割り当て — 185
- 6.1.7 印刷時の線の太さ — 187

| 6.2 | モデルタブとレイアウトタブ | 189 |

| 6.2.1 | レイアウトを設定する | 189 |

| 6.3 | データ変換 | 194 |

6.3.1	AutoCADから出力できるファイル形式	194	6.3.2	DWG	195
6.3.3	DXF	198	6.3.4	DWF	199
6.3.5	PDF	200	6.3.6	ビューワー	200

7日目 知っていると役に立つ機能

7日目の練習内容 204

7.1 ダイナミックブロック 205

| 7.1.1 | 窓のブロックを作る | 205 | 7.1.2 | 開閉方向を選べるドアを作る | 209 |

7.2 ダイナミック入力 212

| 7.2.1 | ダイナミック入力の準備をする | 212 | 7.2.2 | ダイナミック入力の設定をする | 212 |
| 7.2.3 | ダイナミック入力の使い方 | 214 |

7.3 クイック選択 217

| 7.3.1 | クイック選択を起動する | 217 | 7.3.2 | クイック選択の使い方 | 218 |

7.4 計測 219

| 7.4.1 | 手軽に距離を計測する | 219 | 7.4.2 | 計測用ツールを使う | 219 |
| 7.4.3 | 面積を計測する | 220 |

7.5 ほかの図面を読み込む(外部参照) 221

| 7.5.1 | 外部参照をする | 221 | 7.5.2 | 外部参照の画層を確認する | 222 |
| 7.5.3 | 外部参照した元図面を取り込む | 224 |

7.6 選択の循環 225

7.7 自動調整寸法 226

本書について

本書は、パソコンやWindowsの基本操作ができる方を対象としています。パソコンやWindowsの基本操作は、市販の解説書などを利用して習得してください。
本書の内容は、AutoCAD 2022のユーザーを対象としています。

※ AutoCADおよびAutoCAD LTは米オートデスク社が開発した汎用CADです。本書にAutoCADおよびAutoCAD LTは付属しておりません。別途オートデスク社のオンラインストアなどで購入してください。オートデスク社のWebサイトからAutoCADの体験版をダウンロードできます。AutoCADの体験版については、オートデスク社のWebサイトでご確認ください。

※ AutoCAD／AutoCAD LTの後ろにつく数字がAutoCAD／AutoCAD LTのバージョンです。2021年6月現在の最新バージョンは、AutoCAD 2022で、AutoCADおよびAutoCAD LTについては002ページでもご確認ください。

❖ AutoCAD 2022について

2021年6月、AutoCAD LTの新規販売が終了し、（業種別ツールセットを含まない）AutoCADが、以前のAutoCAD LTと同価格で利用できるようになりました。

価格	サブスクリプション（1か月、1年、3年単位の期間限定ライセンス）　1年契約の例：　71,500円（税込）
開発元・販売元	オートデスク株式会社
問合せ先	オートデスクのWebサイトでご確認ください（URL　https://www.autodesk.co.jp/）

※ 価格はオートデスクのWebサイトからのオンライン購入。詳細についてはオートデスクのWebサイトでご確認ください。

● AutoCAD 2022の動作環境（Windows版）

OS	Windows 10（64bitのみ）
CPU	最小 2.5～2.9GHz のプロセッサ（推奨 3GHz 以上）
メモリ	最小 8GB（推奨 16GB）
ディスク空き容量	10.0GB 以上の空き

※ Mac版も含め詳細はオートデスクのWebサイトでご確認ください。

本書で使用している用語と記号

本書はなるべく日常語で書くようにしていますが、AutoCADの操作を的確に伝えるため、そして冗長な説明を避けるために独特の用語や記号を一部に用いています。そこで本書で用いる用語と記号をまとめて説明します。

❖ マウス関連

CADではマウスの操作が重要です。このためきちんと用語を定義します。

● ボタン、右ボタン、ホイール

単に「ボタン」と記したときはマウスの左ボタンを意味します。そして右ボタンの場合は「右ボタン」と「右」をつけます。なおホイールつきマウスの中央ボタンを「ホイール」と呼びます。

● クリック

ボタンを押してすぐにはなすことを「クリック」と呼びます。

●ダブルクリックと2回クリック
短時間にクリックを2回することを「ダブルクリック」と呼び、クリックを2回するが短時間でなくてもよい操作を「2回クリック」と呼びます。

●ドラッグ
ボタンを押し、そのままマウスを動かすことを「ドラッグ」と呼びます。ドラッグは主にオブジェクトやパレットなどを移動するときに用います。

●ドラッグ＆ドロップ
オブジェクトなどをドラッグ移動し、別の場所でボタンを放して配置することを「ドラッグ＆ドロップ」と呼びます。ツールバーを所定の位置に配置したり、ブロック（シンボル）をパレットから図面に配置するときなどに使います。

❖ キーボード関連

●キーイン、入力、キーを押す
本書では、操作中にキーボードのキーを押すことを「キーイン」と表記します。そしてキーインしたあと Enter キーを押して確定することを「入力する」と表記します。「キーイン」のうち1つのキーだけ押すときは、「◯キーを押す」と表記します。

●＜○○＞
本書では、「キーイン」や「入力」、「キーを押す」ときの内容を＜　＞で挟んで表記します。たとえば＜abc＞とあれば A B C の3つのキーを順に押します。後ろに単位をつけて意味を明確している個所がありますが、キーインするのは＜　＞で挟んだ中身だけですので注意してください。

▶例
＜2000＞mmをキーイン　　　← 2 0 0 0 の順にキーボードのキーを押す
＜2000＞mmを入力する　　　← 2000をキーインした（2 0 0 0 キーを押した）あと Enter キーを押して確定する
スペース キーを押す　　　　← キーボードの スペース キーを押す

❖ コマンドの起動

●【○○】ツールをクリックする
AutoCADでは、コマンドのほとんどをツールアイコンをクリックして起動します。ツールアイコンのコマンド名を【　】で挟み、後ろに「ツール」と記します。

▶例
【複写】ツールをクリックする

リボンにはタブ（013ページ）があります。本書は《ホーム》タブあるツールだけでほとんどの操作ができるように解説しています。そこでリボンの《ホーム》タブにあるツールをクリックする場合は、単に「【複写】ツールをクリックする」と表記しています。《ホーム》タブ以外のタブ、たとえば《表示》タブにあるツールの場合、「《表示》タブの【○○】ツールをクリックする」と表記します。

《ホーム》タブ　　　【複写】ツール（ここをクリックする）

● アプリケーションメニュー

バージョン 2009 以降の AutoCAD にはメニューバーがありません。代わりに「アプリケーションメニュー」とリボンがあります。

▶例

アプリケーションメニューの【ファイル】→【図面ユーティリティ】→【名前削除】をクリックする

例の場合は、❶「アプリケーションメニュー」、❷【図面ユーティリティ】、❸【名前削除】の順にクリックします。

❖ ボタン

● 【○○】をオン（作図補助ツール）

画面下段のステータスバーにある作図補助ツール（026 ページ）のボタンは、名前の○○を【 】で挟み、機能を有効にすることを「オン」、無効にすることを「オフ」と記します。

▶例

作図補助ツールの【オブジェクトスナップ】をオンにする

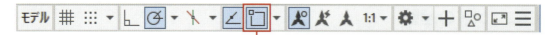

ここをクリックして【オブジェクトスナップ】のオン／オフを切り替える。
背景がカラーのボタンがオン。上図では4つのボタンがオンになっている

● OK ボタンとダイアログ

ツールやコマンドを起動すると「ダイアログボックス」と呼ぶ小さなウィンドウが表示される場合があります。このダイアログボックスのボタンを示すとき □ で囲みます。
なお本書では「ダイアログボックス」のことを「ダイアログ」と略記します。

「ブロック挿入」ダイアログ　　　OK をクリックする

▶例

「ブロック挿入」ダイアログの OK をクリックする

012

❖ そのほかの用語

●タブ

ダイアログの中には複数のページを持つものがあります。このページのことを「タブ」といい、タブの名前を《 》で挟んで記します。リボン（025ページ）にはカテゴリーを切り替えるタブがあります。このタブも《 》挟んで記します。タブをクリックすることで、ダイアログやリボンに表示される内容が切り替わります。

▶例

「寸法スタイルを修正」ダイアログの《フィット》タブ

ここをクリックすると《フィット》タブの内容が表示される

▶例

リボンの《ホーム》タブ

リボンの《ホーム》タブ

図は《ホーム》タブの場合で、リボンのタブをクリックすると、表示されるツールの内容が変化する

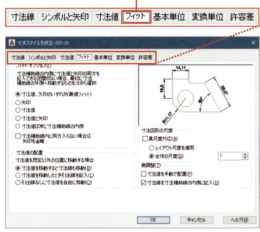

「寸法スタイルを修正」ダイアログ

● AutoCADとAutoCAD LT

本書で、AutoCADとAutoCAD LTのどちらでも同様の内容（操作手順や説明）の場合、単に「AutoCAD」と記載します。AutoCAD（レギュラー版）またはAutoCAD LTいずれかのみを示す場合は、その都度必要に応じた記載をしています。

●デフォルト

各コマンド／ツールは設定によりいろいろなことができるようになっています。しかし設定をするには内容を理解していなければならず、初心者には難しいことです。このためインストール直後の状態は、プログラマーがとりあえずこの設定にしておきなさいという設定になっています。これを「デフォルト設定」あるいは略して「デフォルト」と呼びます。

●オブジェクト

オブジェクト（object：物）とは、AutoCADで作図ウィンドウに入力するものを意味します。具体的には図形、文字、寸法、ブロック（シンボル）、ビューポートなどです。

●コマンドとツール

一般のソフトではメニューにある項目を「コマンド」、リボンにあるアイコンを「ツール」と呼んで区別します。

AutoCADでは、たとえばキーボードから＜LINE＞と入力して【線分】コマンドを起動することもできます。そして＜LINE＞と入力することとまったく同じ結果を得るアイコン（ツール）が、リボンにもあります。このことからリボンのアイコンもすべてコマンドと呼んで間違いないのですが、本書では説明しやすくするために、リボンにあるアイコンを「ツール」と呼んで区別します。

教材データのダウンロードについて

本書を使用するにあたって、まず解説で使用する教材データ（練習用データ）をインターネットからダウンロードする必要があります。

❖ 練習用データのダウンロード方法

▶ Web ブラウザ(Microsoft Edge、Internet Explorer、Google Chrome、FireFox)を起動し、下記のURL の Web ページにアクセスしてください。

> https://xknowledge-books.jp/support/9784767829128

▶ 右図のような本書の「サポート＆ダウンロード」ページが表示されたら、記載されている注意事項を必ずお読みになり、ご了承いただいたうえで、練習用データをダウンロードしてください。

▶ 練習用データは ZIP 形式で圧縮されています。ダウンロード後は解凍(展開)して、デスクトップなどわかりやすい場所に移動してご使用ください。

▶ 本書各記事内には、使用するデータのフォルダとファイル名を記載しています。練習用データの中から該当するファイルを探してご使用ください。

▶ 練習用データは、AutoCADのバージョン 2013 以降でも開ける場合がありますが、動作の保証はしておりません。

▶ 練習用データに含まれるファイルやプログラムなどを利用したことによるいかなる損害に対しても、データ提供者(開発元・販売元等)、著作権者、ならびに株式会社エクスナレッジでは、一切の責任を負いかねます。

▶ 動作条件を満たしていても、ご使用のコンピュータの環境によっては動作しない場合や、インストールできない場合があります。予めご了承ください。

❖ 練習用データのフォルダ構成

解凍(展開)後の練習用データのフォルダ構成は以下のようになっています。

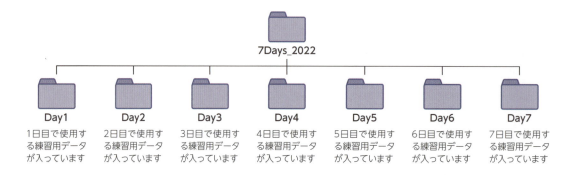

＃ 1日目
基本操作をおぼえる

1日目の練習内容

1日目 基本操作をおぼえる【練習内容】

1日目はAutoCADの準備、ファイル操作、ツールの起動、図形の操作、オブジェクトスナップなどAutoCADを使い始めるために知っておくべきことを操作をしながらおぼえます。

1.1 AutoCADの起動と終了
- AutoCADを起動する
- タスクバーにピン留め
- AutoCADを終了する

1.2 AutoCADの準備
- 作図ウィンドウの色を白にする
- 右クリックをカスタマイズする
- 画面を整理する

1.3 AutoCADの各部の名称

1.4 作図補助ツールの名称と設定
- 作図補助ツールの名称
- 作図補助ツールの設定

1.5 ファイルを開く、保存する、閉じる、新規図面を作成する
- ファイルを開く
- ファイルを保存する
- ファイルを閉じる
- 新規図面を作成する

1.6 画面コントロール機能
- ホイールマウスで操作する
- 画面コントロール用ツール

1.7 ツールの起動とオプション

1.8 操作に失敗したときは
- 操作の途中では
- 間違った操作をしてしまったら

1.9　図形の選択と削除

- 図形を全部選択する
- 選択を解除する
- 図形を 1 つずつ選択する
- 範囲指定で選択する
- 図形を削除する

1.10　直線を描く

- テンプレートを開く
- 作図補助ツールを確認する
- 長さ 12m の水平線を描く
- 水平・垂直線を続けて描く
- 不連続な水平線と垂直線を描く
- 極トラッキングの設定
- 斜め線を描く
- 座標を入力して斜め線を描く
- オブジェクトスナップを用いて直線を描く

1.11　構築線を描く

- 水平／垂直の構築線を描く
- 斜めの構築線を描く

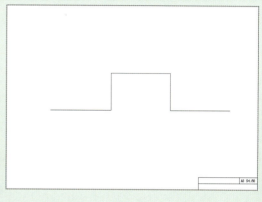

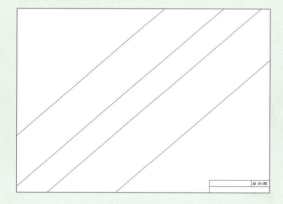

1.12　円弧を描く

- 3 点を指定して円弧を描く
- 中心から円弧を描く（左回り）
- 中心から円弧を描く（右回り）
- 中心と角度で円弧を描く

1.13　長方形を描く

- 長方形をフリーに描く
- 正確なサイズの長方形を描く

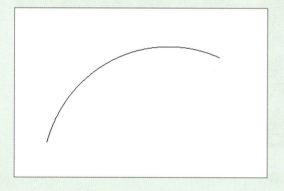

1.1 AutoCADの起動と終了

　AutoCADあるいはAutoCAD LT（以下AutoCADと記す）の起動と終了はWindowsの一般のソフトウェアと同じで、特別なことはありません。

1.1.1 AutoCADを起動する

AutoCADを起動する2つの方法を紹介します。
- ◆方法1＝デスクトップにあるショートカットアイコンをダブルクリックする
- ◆方法2＝Windowsの［スタート］ボタンから起動する

> ビギナーのなかにはデータファイルをダブルクリックしてAutoCADを起動する人がいますが、これはお勧めできません。データファイルを開くときはプログラムを起動させてからメニューの［開く］コマンドを使うのが正しい作法です。
> パソコンがわかってくるとパソコンの怖さもわかり、使い方が正しい作法に近づいていくものです。

1 ショートカットアイコン

　AutoCADをインストールするとデスクトップにAutoCADのショートカットアイコンが生成されます。これをダブルクリックするとAutoCADが起動します。

AutoCAD 2022のショートカットアイコン

AutoCAD LT 2022のショートカットアイコン

> 本書で、AutoCADとAutoCAD LTのどちらでも同様の内容（操作手順や説明）の場合、単に「AutoCAD」と記載します。AutoCAD（レギュラー版）またはAutoCAD LTいずれかのみを示す場合は、その都度必要に応じた記載をしています。

2 Windowsの［スタート］ボタン

　Windows 10の［スタート］ボタンからAutoCADを起動する方法はショートカットアイコンをダブルクリックする方法より面倒ですが、ほかのソフトウェアでデスクトップが隠れている場合に便利な方法です。

❶［スタート］ボタンを押してスタートメニューを開く
❷スタートメニューの左側で、「AutoCAD 2022」フォルダを探したらクリックして開く
❸「AutoCAD 2022」フォルダの中にある、[AutoCAD 2022]をクリックする

　これでAutoCADが起動します。

❷「AutoCAD 2022」フォルダ
❸ AutoCAD 2022
Windows 10のデスクトップ
❶［スタート］ボタン

> 図はAutoCADの図です。AutoCAD LTと違う部分があっても、その違いが些少でAutoCAD LTでの操作に支障がないと判断できるなら、今後もAutoCADの図のみ掲載します。

3 AutoCADのスタート

AutoCADが起動すると、AutoCADの《スタート》タブが開きます。このタブから新規図面や描きかけの図面などを開いて作業を始めます。

新たに図面を作成する場合のスタート方法を説明します。

❶ AutoCADの《スタート》タブの[新規作成]ボタンをクリックする

これで空白の図面が開くので作図を始められます。

《スタート》タブ
AutoCADの《スタート》タブ
❶[新規作成]ボタン

1.1.2 タスクバーにピン留め

AutoCADを起動するとタスクバーにアイコンが表示されます。このアイコンをタスクバーにピン留めしておけば、アイコンがタスクバーに常駐します。

次回からはタスクバーにあるAutoCADのアイコンをクリックするだけで起動できるようになります。

❶ AutoCADを起動する（前ページ参照）
❷ タスクバーに表示されているAutoCADのアイコンを右クリックしてメニューを表示する
❸ メニューの[タスクバーにピン留めする]をクリックする

❸【タスクバーにピン留めする】
タスクバー
❷アイコンを右クリック

タスクバーにピン留めしたので、次回からはこれをクリックするだけでAutoCADを起動できる

1.1.3 AutoCADを終了する

　AutoCADの終了の方法を3つ紹介します。そのときの状況で使い分けてください。
◆メニューの[終了]コマンドを用いる
◆ウィンドウの[閉じる]ボタンをクリックする
◆タスクバーで終了する

1 メニューの[終了]コマンド

　[終了]コマンドを使った終了は少し面倒ですが、標準の終了方法です。

❶アプリケーションメニューをクリックする
❷[Autodesk AutoCAD 2022を終了]をクリックする
❸データを保存するかという確認メッセージが表示される場合は、普通は はい をクリックして保存の操作をする

2 ウィンドウの[閉じる]ボタン

　[閉じる]ボタンを使った終了は、AutoCADを簡単に終了させることができます。

❶ウィンドウの[閉じる]ボタンをクリックする
❷データを保存するかという確認メッセージが表示される場合は、普通は はい をクリックして保存の操作をする

こちらはデータファイルのボタン類

3 タスクバーで終了

　タスクバーで終了させることもできます。

❶タスクバーのAutoCADのアイコンを右クリックする
❷メニューの[ウィンドウを閉じる]をクリックする
❸データを保存するかという確認メッセージが表示される場合は、普通は はい をクリックして保存の操作をする

1.2 AutoCAD の準備

このあと実際に AutoCAD を操作して練習しますが、本書の説明と同じ結果になるように、AutoCAD を本書の設定に合わせる必要があります。

本書の設定とはいえ、なるべくインストール直後の状態に近い設定で AutoCAD を使いたいので、最小限の変更にとどめています。

なお、すでに AutoCAD で 3D モデリングなどのためインストール時と異なる設定にしている場合は、その設定を保存→リセット→本書の設定をしてください。そして本書での練習を終えたときに保存した設定を読み込んで元に戻してください（024 ページの「設定の保存とリセット」参照）。

1.2.1 作図ウィンドウの色を白にする

AutoCAD の作図ウィンドウのデフォルト色はほぼ黒です。これを黒バックといいます。

もし図面を効率優先で作成しようとするなら黒バックが適しています。これは図形の色が淡色でも見やすいからです。しかし建築デザインのように画面で形を検討・確認しながら作図するといった使い方なら白／淡色が適しています。本書は白い作図ウィンドウ（白バックという）で説明しますので、次の手順で白バックに変えることをお勧めします。

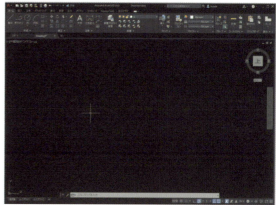

AutoCAD 2022 のデフォルトの画面

❶ アプリケーションメニューをクリックしてから［オプション］をクリックする

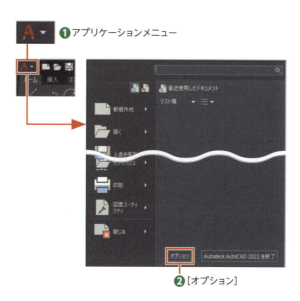

❶ アプリケーションメニュー

❷［オプション］

❷「オプション」ダイアログで次のように操作する
- ◆《表示》タブをクリックする
- ◆[カラーテーマ]で「ライト(明るい)」を選択する

  > AutoCAD LTの操作 [配色パターン]で「ライト(明るい)」を選択する

- ◆ 色 をクリックする

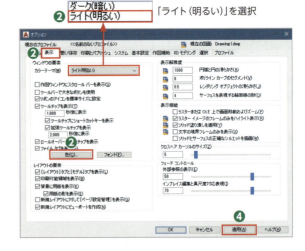

❸「作図ウィンドウの色」ダイアログで次のように操作する
- ◆[コンテキスト]の「2Dモデル空間」を選択する
- ◆[インタフェース要素]の「共通の背景色」を選択する

  > AutoCAD LTの操作 [インタフェース要素]で「背景」を選択する

- ◆[色]で「White」を選択する
- ◆ 適用して閉じる をクリックする

❹「オプション」ダイアログの 適用 をクリックする

これでリボンが明るくなり作図ウィンドウが白バックになります。「オプション」ダイアログで次の設定をするので、このまま次項に進んでください。

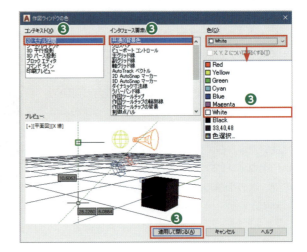

1.2.2 右クリックをカスタマイズする

AutoCADではキーボードの スペース キーを頻繁に使います。ツールの終了と再開や選択の確定などに スペース キーを使いますが、これをマウスの右クリックで代用できます。右クリックなら作業を中断することがないので気持ちよく作図を続けられます。

❶「オプション」ダイアログで次のように操作する
　◆《基本設定》タブをクリックする
　◆ 右クリックをカスタマイズ をクリックする

❷「右クリックのカスタマイズ」ダイアログで、[クリック時間に応じた右クリックの機能を有効にする]にチェックを入れてから、 適用して閉じる をクリックする

> ダイアログに「素早いクリックはEnterの機能になります」とありますが、AutoCADでは スペース キーと Enter キーは同じ機能なので「素早いクリックはスペースの機能になります」と同じ意味です。

❸「オプション」ダイアログの OK をクリックして作図ウィンドウに戻る

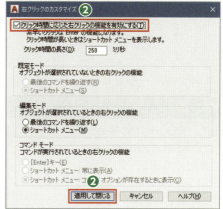

1.2.3 画面を整理する

画面を整理します。

❶ グリッドの非表示

画面に戻ると図のようになります。作図ウィンドウには方眼紙のようにタテヨコの線が入っています。これをグリッドと呼びますが、グリッドは使うときだけ表示させるので非表示にします。

❶ステータスバーにある【作図グリッドの表示】をクリックする

> 【作図グリッドの表示】は、クリックするごとにグリッドの表示／非表示を切り替えられます。

> View Cube（AutoCAD LTにはない）は、本書では必要ありませんがここでは表示させたままにします。なお非表示にするときはリボンの《表示》タブの【View Cube】ツールをクリックしてください。本書で使う練習用データではView Cubeを非表示にしています。

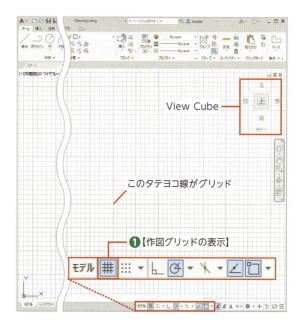

2 コマンドラインウィンドウ

コマンドラインウィンドウがフロート(独立した)状態になっているのでこれを画面下にドッキングさせます。

> 本書では「コマンドラインウィンドウ」を以下「コマンドウィンドウ」と略記します。

❶ コマンドウィンドウ左端の部分(図参照)を下方にドラッグする
❷ 作図ウィンドウ下端にカーソルをあてるとアウトラインに表示が変わる
❸ マウスボタンから指をはなすと(ドロップすると)コマンドウィンドウがドッキングする

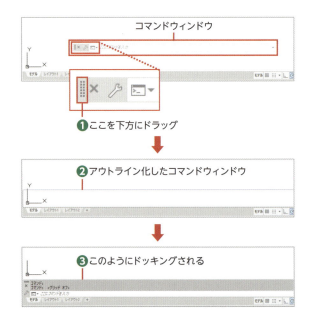

設定の保存とリセット

すでにAutoCADを自分なりの設定に変更している場合は、以下の手順でその設定を保存・リセットしてから本書用の設定をしてください。なお、AutoCADを終了してから以下の操作を実行します。

❶ Windows 10の[スタート]ボタンをクリックし、AutoCADのフォルダにある[設定を既定にリセット]をクリックする
❷ 「設定を既定にリセット-バックアップ」ダイアログで「バックアップ後にカスタム設定をリセット」をクリックする
❸ 「カスタム設定をバックアップ」ダイアログが開くので、そのまま 保存 をクリックする
❹ 確認メッセージが表示される。バックアップファイルの保存先とファイル名が表示されるのでメモする

本書の読了後に設定を元に戻すには、次のように操作します。

❺ [スタート]ボタンをクリックし、AutoCADのフォルダにある[AutoCAD 2022設定を読み込み]をクリックする
❻ 先にメモしたバックアップファイル(ZIPファイル)を読み込む

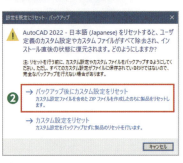

バックアップファイルの保存先とファイル名

1.3 AutoCADの画面と各部の名称

　AutoCADの各部の名称を示します。図はAutoCADの画面です。本書はAutoCADのマニュアルと一部異なる名称を使っています。この場合マニュアルでの名称を〔　〕内に記します。
　インストール直後は黒い画面ですが、この図は「1.2　AutoCADの準備」(021～024ページ)を終えた状態の画面です。本書はこの画面で説明をします。

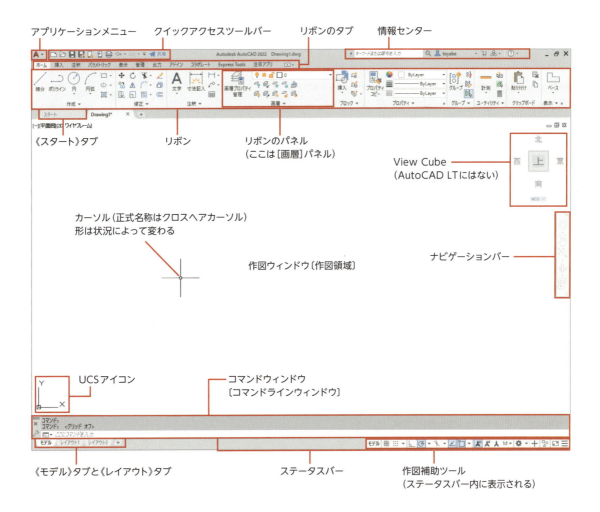

1.4 作図補助ツールの名称と設定

　AutoCADの画面右下端にあるステータスバーには多数の作図補助ツールがあります。ここでは主な作図補助ツールの名称を確認し、AutoCADの作図補助ツールを本書用に設定します。

1.4.1 作図補助ツールの名称

　本書では補助ツールの名前がたびたび登場するので、使用する補助ツールの名前を記しておきます。

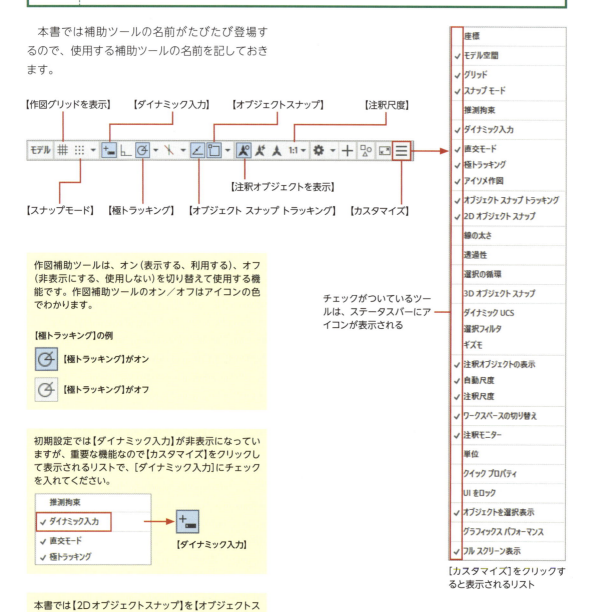

1.4.2 作図補助ツールを設定する

作図補助ツールのうち、【極トラッキング】と【オブジェクトスナップ】は設定によって動作が異なります。このため2つのツールを本書用に設定します。

1 【極トラッキング】の設定

【極トラッキング】は線を描くときの角度をコントロールします。

❶【極トラッキング】を右クリックする

※【極トラッキング】の右にある[▼]をクリックしてもメニューが表示されます。

❷角度のリストが表示されるので、[15, 30, 45, 60...]をクリックする

❸【極トラッキング】を右クリックして表示されるリストで、[15, 30, 45, 60...]にチェックがついているのを確認する

❹作図ウィンドウの任意の位置をクリックしてリストを閉じる

❶❸【極トラッキング】を右クリック

2 【オブジェクトスナップ】の設定

【オブジェクトスナップ】は2D製図で最も頼りになる作図補助ツールです。

❶【オブジェクトスナップ】を右クリックして表示されるリストで[オブジェクトスナップ設定]をクリックする

※【オブジェクトスナップ】の右にある[▼]をクリックしてもメニューが表示されます。

❷「作図補助設定」ダイアログで次のように操作する
- ◆ すべてクリア をクリックする
- ◆「端点」「中点」「点」「交点」「挿入基点」をクリックしてチェックを入れる
- ◆ OK をクリックする

❶【オブジェクトスナップ】を右クリック

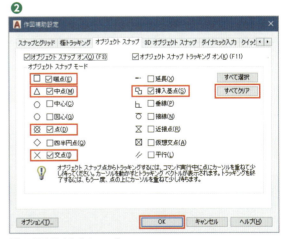

「作図補助設定」ダイアログ

❸【オブジェクトスナップ】を右クリックして表示されるリストでチェックつきの項目を確認する
❹ 作図ウィンドウの任意の位置をクリックしてリストを閉じる

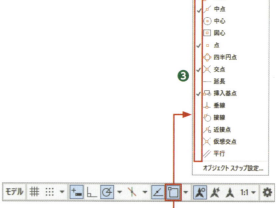

❸【オブジェクトスナップ】を右クリック

リボンとディスプレイの幅

リボンはパソコンのディスプレイの解像度とスケーリング（拡大・縮小率）によって表示が異なります。ディスプレイの幅が1400ピクセルで拡大・縮小率が100%ならリボンがフルに表示されます。
ディスプレイ幅が1280ピクセルで拡大・縮小率が100%ではリボンの右端のいくつかのパネルが省略形になります。
省略形になってもそのパネルをクリックすれば内容が表示されます。一手間増えますが機能に問題はなく、本書での練習に支障はありません。見やすい画面でAutoCADを操作してください。

1400ピクセル幅（100%）　本書の図版

1280ピクセル幅（100%）

省略形の[グループ]パネルをクリックしたところ

1.5 ファイルを開く、保存する、閉じる、新規図面を作成する

ファイル操作の方法は一般のソフトウェアと変わりありませんが、AutoCAD独特の方法もあります。

1.5.1 ファイルを開く

ファイルを開く方法は複数ありますが、ここではよく使う2つの方法を記します。

1 【開く】ツール

ファイルを開くのに一番簡単な方法は【開く】ツールを使う方法です。

❶【開く】ツール

❶【開く】ツールをクリックする
❷「ファイルを選択」ダイアログで開きたいファイルをクリックする
❸ 開く をクリックする

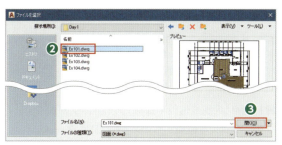

「ファイルを選択」ダイアログ。ファイルの表示形式（アイコンかリストか）はエクスプローラと同じように設定できる

2 《スタート》タブ

「開く」の3つのケース、「作成中のファイルを開く」「シートセットを開く」「サンプル図面を開く」に対応するのが《スタート》タブです。

❶《スタート》タブをクリックする
❷ [開く]ボタン右の[∨]をクリックし、表示されるメニューの3項目のうちの1つをクリックする

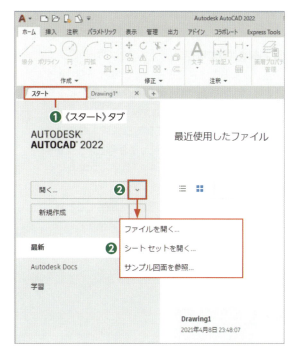

アプリケーションメニュー

アプリケーションメニューにも[開く]があります。この[開く]のサブコマンドには、ほかにはないコマンドがありますが、本書で使うことがないので図を示すだけにします。

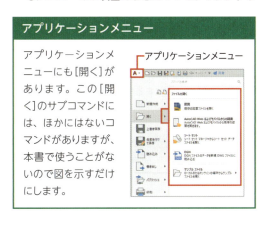
アプリケーションメニュー

1.5.2 ファイルを保存する

ファイルは保存するための操作をしてはじめて保存されます。パソコンでは何が起きるかわからないので図面が完成したときだけではなく、図面の作成中でも頻繁（たとえば15分ごと）にデータを保存してください。自動保存機能（右下コラム参照）もありますが手動で保存する習慣を身につけてください。

❶ 上書き保存

はじめての保存、作成途中での保存、完成したときの保存、いずれの保存でも【上書き保存】ツールを使います。

❶【上書き保存】ツールをクリックする

これだけでファイルが保存されますが、はじめて保存するときには次の操作をします。

❷「図面に名前を付けて保存」ダイアログが開くので保存先を確認する（変えてもよい）
❸ [ファイル名]欄に名前をキーインする
❹ 保存 をクリックする

※【上書き保存】ツールのアイコンはかつて使われていたフロッピーディスクの形です。

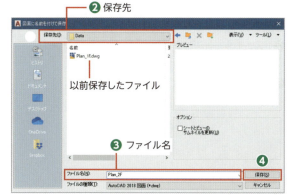

「図面に名前を付けて保存」ダイアログ

❷ 名前を付けて保存

ファイル名を変えて保存したい場合があります。たとえば1階平面図（Plan_1F.dwg）を元に2階平面図を作成したときには、「Plan_1F.dwg」を「Plan_2F.dwg」に変えて保存します。このようなときに使うのが【名前を付けて保存】ツールです。

【名前を付けて保存】ツールは以下の場合にも用います。
◆ DWG以外のファイル形式で保存するとき
◆ 古い形式のDWGファイルで保存するとき
◆ 別の保存場所に保存したいとき

> AutoCADには自動保存の機能があります。「オプション」ダイアログの《開く／保存》タブにある[自動保存]で保存する間隔を設定できるので、たとえば15分と設定してください。
> 自動保存は最後の安全確保のためにあるものとして、普段は手動で頻繁に保存してください。
> 「オプション」ダイアログは、アプリケーションメニューをクリックして[オプション]をクリックすると表示されます（021ページ参照）。

1.5.3 ファイルを閉じる

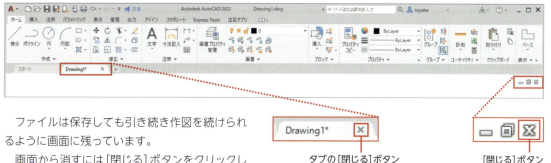

ファイルは保存しても引き続き作図を続けられるように画面に残っています。

画面から消すには[閉じる]ボタンをクリックしてファイルを閉じます。閉じるボタンは図のように2カ所にありますが、どちらを使っても結果は同じです。

保存の直後でなければ[閉じる]ボタンをクリックすると保存するを確認するメッセージが表示されるので、普通は はい をクリックして保存します。

タブの[閉じる]ボタン　　[閉じる]ボタン

保存するかを確認するメッセージ

1.5.4 新規図面を作成する

図面の作成を始めるには新規図面を作成します。新規図面は完全に白紙の状態から作成する場合と、テンプレートファイルを開いて図面の作成を開始する場合があります。

どちらも《スタート》タブ（019ページ）の[新規作成]ボタンで実行できますが、ここでは【クイック新規作成】ツールを使う方法を紹介します。

❶【クイック新規作成】ツールをクリックする
❷「テンプレートを選択」ダイアログが開くので、使用するテンプレートをクリックして選択してから 開く をクリックする

もしテンプレートではなく白紙の状態から作成したいときは 開く の右側の[▼]をクリックし、メニューの[テンプレートなしで開く－メートル]をクリックしてください。

> テンプレートとはあらかじめ各種の設定（寸法スタイルや文字スタイルなど）を済ませ、図面枠やタイトル枠を記入した図面ファイルのことです。

❶【クイック新規作成】ツール

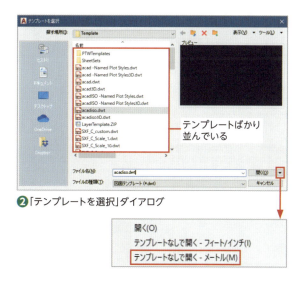

❷「テンプレートを選択」ダイアログ

テンプレートばかり並んでいる

1.6 画面コントロール機能

　AutoCADでは頻繁に画面の拡大／縮小やスクロールなどの画面コントロールを行います。
　最近のマウスはほとんどがホイールつきのマウスになっていますし、CADを使うときにはマウスのホイールは必須です。というのはこのホイールが画面コントロールの主役でAutoCADの表示コマンドは脇役というのが実情だからです。脇役だけでもAutoCADを使えますが、わざわざ不便な環境でCADを使おうとするのは愚かなことです。
　マウスのホイールによる画面コントロールから説明します。練習用データを開いてから動作を確認してください。

 練習用データは「7days_2022」フォルダの中の「Day1」フォルダの中にある「Ex101.dwg」です。

1.6.1 ホイールマウスで操作する

　ホイールマウスのホイールを手前に回すと画面が縮小表示になり、逆に（奥に）回すと拡大表示になります。
　ホイールを押したままマウスを動かすとその動きに合わせて、画面が動きます。すなわちスクロールします。そしてホイールをダブルクリックすると後述する【オブジェクト範囲ズーム】ツールと同じ結果になります。以上のように画面コントロールの主要な4機能がホイールだけで実現します。

ホイール操作	機能
手前に回す	画面の縮小表示
奥へ回す	画面の拡大表示
ドラッグ	スクロール
ダブルクリック	オブジェクト範囲を表示

マウスのホイール操作による画面コントロール機能

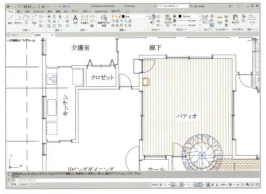

画面を拡大表示

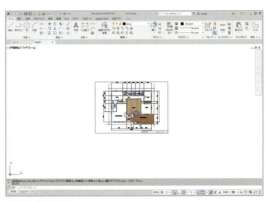

画面を縮小表示

1.6.2 画面コントロール用ツール

　AutoCADの画面コントロール用ツール／コマンドは多数ありますが、頻繁に使う2つのツールのみ説明します。

　本書で使う2つのツールはナビゲーションバーにあります。

1【オブジェクト範囲ズーム】ツール

　【オブジェクト範囲ズーム】ツールをクリックすると、図面にあるすべてのオブジェクト（図形や文字や寸法など）の全部が、画面にちょうど納まるように表示範囲が調整されます。このツールは入力した図形などの全体を見渡したいときに使います。

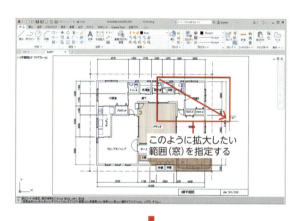

2【窓ズーム】ツール

　【窓ズーム】ツールをクリックしてから、作図ウィンドウで四角形を描くように2点をクリックすると、その四角形の範囲が画面一杯に表示されます。つまり拡大表示することになります。

　ホイールマウスによる拡大表示と違うのは、【窓ズーム】ツールなら拡大表示したい範囲をほぼ正確に拡大できるところです。

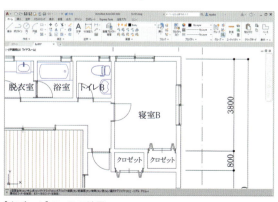

【窓ズーム】ツールの結果

1.7 ツールの起動とオプション

　AutoCADでコマンド（ツール）を起動する方法は複数ありますが、本書は最も理解しやすい方法、すなわちリボンにあるツールアイコンをクリックする方法で説明します。

　多くのツールは1つの機能だけでなく、いくつかのオプション機能を含んでいます。たとえば【円】ツールには円を描く方法により次の3種類のオプションがあります。

◆円周上の3点を指定して円を描く（3点円）
◆直径の2点を指定して円を描く（2点円）
◆2つのオブジェクトに接する円を描く（接円）

　オプションを使わなければ、中心点と円周上の点を指定して円を描けます。

※本書では【円】ツールと呼びますが、正式には【円、中心、半径】ツールという名のツールです。

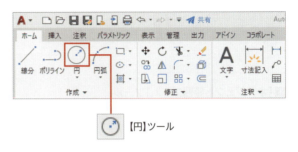

【円】ツール

【円】ツールを起動したときのコマンドウィンドウ

　オプションを使うときは、ある文字を入力してから円を描き始めます。どんな文字を入力するかは【円】ツールをクリックしたときにコマンドウィンドウに表示されます。

　［3点（3P）/2点（2P）/接、接、半（T）］という文字列が【円】ツールのオプションのリストです。

　たとえば先頭にある「3点（3P）」は「円周上の3点をクリックして円を描くなら＜**3P**＞を入力しなさい」という意味です。「接、接、半（T）」は「接する2つのオブジェクトと半径を指定して円を描くなら＜**T**＞を入力しなさい」という意味です。

　ツールをクリックしたあと↓キーを押すとカーソルのそばにオプションのリストが表示されます。これは【ダイナミック入力】の機能の1つです。

※【ダイナミック入力】は作図補助ツールの1つでデフォルトではオンになっています（026ページ）。

【円】ツールを起動して↓キーを押したところ

AutoCADの【円】ツールや【円弧】ツールには、各オプションに対応したバリエーションツールが用意されています。しかし本書は先頭のツールだけを使います。それが自然な使い方だからです。

ツール下またはツール右にある［▼］をクリックするとバリエーションツールのリストが表示される

【円】ツールの先頭のツール

【円】ツールのバリエーションツール

1.8 操作に失敗したときは

CADに限らずソフトウェアの操作では、失敗やミスはごく日常的なもので避けられないことです。このため、失敗しないように気をつけることより、失敗したときにどうするかを知っておくほうが重要です。

1.8.1 操作の途中では

間違って図形を選択してしまった、線の1点目で違う場所をクリックして困ったという場合は Esc (エスケープ) キーを押します。Esc キーはキャンセルを意味しますが、AutoCADでは「困ったときに押すキー」として知られています。

困ったらまずは Esc キーを押してください。

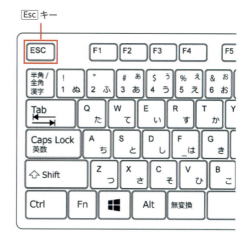

Esc キー

1.8.2 間違った操作をしてしまったら

AutoCADは、起動したあとに実行した操作をずっと記録し続けます。そしてたいていの操作を遡って取り消すことができます。たとえば、消してはいけない図形を消したとき、間違った形の図形を描いてしまったときなどで、これを取り消すのが【元に戻す】ツールです。

【元に戻す】ツールを1回クリックするたびに1操作遡って取り消します。もし取り消しが行き過ぎたとき、逆にやり直すのが【やり直し】ツールです。

【元に戻す】ツール
【やり直し】ツール

> 「元に戻す」ことを一般に「UNDO (アンドゥ)」と呼びます。このショートカットキーは Ctrl + Z キーです。これは頻繁に使うので覚えてください。操作に失敗したら Esc キーを押して、次に Ctrl + Z キーを押します。「やり直し」を一般に「REDO (リドゥ)」と呼びます。このショートカットキーは Ctrl + Y キーです。

1.9 図形の選択と削除

本書ではAutoCADで図形を描く練習をしますが、図形の削除方法を知らないと作図ウィンドウが図形で一杯になり先に進めなくなります。そこで図形を選択し、削除する方法をここで説明します。AutoCADで図形を選択する方法は多数の方法がありますが、ここでは頻繁に使う方法のみ取り上げます。

1.9.1 図形を全部選択する

図形を全部選択するには次のように操作します。練習用データを開いてから練習します。

練習用データは「7days_2022」フォルダの中の「Day1」フォルダにある「Ex102.dwg」です。

❶ Ctrl + A キーを押す

Ctrl + A キーは【すべて選択】コマンドのショートカットキーで、キーボードの Ctrl キーを押しながら A キーを押します。

図形の周りに ■ がついて選択されたことがわかります。この ■ を「グリップ」といいます。

Ctrl + A キーは便利ですが、非表示（125～126ページ）にした画層（レイヤ）にある図形まで選択してしまうので注意が必要です。

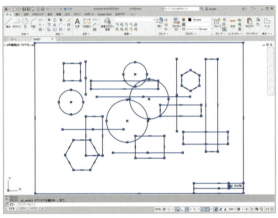
Ctrl + A キーを押して全図形を選択したところ

1.9.2 選択を解除する

選択したあと選択を解除するには次のように操作します。

❶ 一部の選択を解除する

2つ以上の図形を選択したあと、その一部の図形を選択解除したいときは Shift キーを押しながら選択解除したい図形をクリックします。

❷ 選択をすべて解除する

選択をすべて解除するには Esc キーを押します（035ページ）。

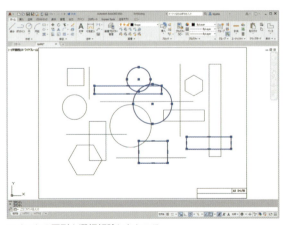
いくつかの図形を選択解除したところ

1.9.3 図形を1つずつ選択する

図形を1つずつ選択するには、選択したい図形をクリックします。ほかの図形をクリックするとその図形も選択に加わります。すなわち2つ以上の図形を選択するときに Shift キーや Ctrl キーを押す必要はありません。

1.9.4 範囲指定で選択する

複数のオブジェクトを選択するときは範囲指定（窓選択や交差選択）が便利です。範囲指定とは長方形を描くように対角の2点をクリックして図形を囲みます。

範囲指定では2点をクリックするときの方向で結果が異なります。これを図で説明します。

 練習用データは「7days_2022」フォルダの中の「Day1」フォルダの中にある「Ex102.dwg」です。

1 窓選択（右方向に範囲指定）

右図に示すように右下方向あるいは右上方向に範囲を指定すると、範囲に完全に囲まれた図形が選択されます。これを「窓選択」といいます。

2 交差選択（左方向に範囲指定）

下図に示すように左上方向あるいは左下方向に範囲指定をすると、範囲に完全に含まれる図形に加えて範囲に一部でも含まれる図形も選択されます。これを「交差選択」といいます。

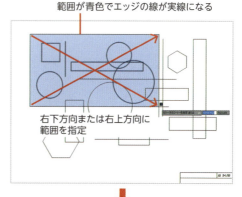
範囲が青色でエッジの線が実線になる
右下方向または右上方向に範囲を指定

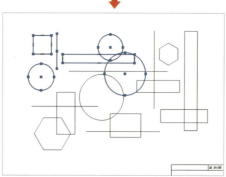
「窓選択」の結果

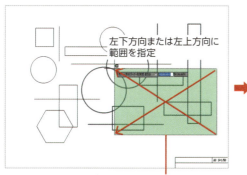
左下方向または左上方向に範囲を指定
範囲が緑色でエッジの線が破線になる

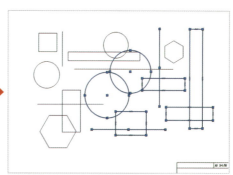
「交差選択」の結果

1.9.5 図形を削除する

図形を削除する方法も複数あります。

❶ 図形を描いた直後に削除

図形を削除する場合で最も多いのが、図形を描いたが間違ったので消すという場合です。このときはUNDO（035ページ）すなわち【元に戻す】ツールを使うのが簡単です。

そしてUNDOは【元に戻す】ツールをクリックするより、ショートカットキーCtrl＋Zキーを使うほうがさらに簡単です。

❷【削除】ツール

図形を選択したあと【削除】ツールをクリックすると削除できます。

【削除】ツールをクリックする代わりにDeleteキーを押しても削除できます。しかし間違って別のキー、たとえばBackspaceキーを押したとき、あとでDeleteキーを押しても削除できません。このようなときは【削除】ツールをクリックします。

普通は先にオブジェクトを選択してから【削除】ツールをクリックしますが、【削除】ツールを先にクリックしてもできます。この手順を説明します。

❶【削除】ツールをクリックする
❷ 削除したい図形をクリックする（2つ以上でもよい）
❸ スペースキーを押す（選択確定＝削除実行）

スペースキーの代わりにEnterキーを押してもよいですし、右クリックしてもOKです。右クリックがEnterキーの代わりに使えるのは022〜023ページの設定をしているからです。

> スペースキーを押しても期待する結果にならないとき、たいていは日本語入力（Microsoft IMEなど）がオンになっています。CADの操作中は日本語入力をオフにしてください（文字記入時は除く）。

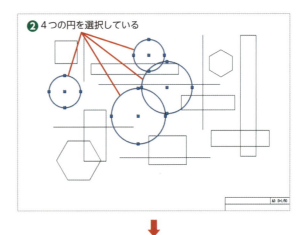

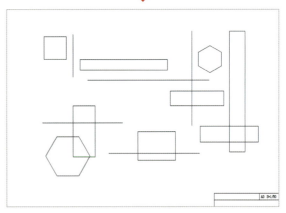

削除した結果

1.10 直線を描く

これからAutoCADで図形を描きます。最初の図形は直線です。直線を描く方法は数種類ありそれぞれ場面によって使い分けますが、本書ではよく使う方法を先に紹介し、まれに使う方法をあとで説明します。
最初の直線は水平線と垂直線です。

1.10.1 テンプレートを開く

練習用のテンプレートを開きます。

 練習用テンプレートは「7days_2022」フォルダの中の「Day1」フォルダの中にある「A3_50.dwt」です。

❶【クイック新規作成】ツールをクリックする
❷「テンプレートを選択」ダイアログで「7days_2022」フォルダの中の「Day1」フォルダにある「A3_50.dwt」を開く
❸【オブジェクト範囲ズーム】ツールをクリックする

※以降はこの操作を記しませんが、新たに図面を開いたときは【オブジェクト範囲ズーム】ツールをクリックして全体が見えるようにしてください。

テンプレートとは

テンプレートとは各種設定を済ませたデータファイルのことです。各種設定はAutoCADに熟練すればたいした手間はかかりませんが、慣れないうちはそうではありません。このため練習用テンプレートを用意しました。AutoCADを実務で使うときはテンプレートを自作しなければなりません。「A3_50.dwt」には図面枠とタイトル枠を描いてますが、このほかに次の設定をしています。
◆画層(レイヤ) (122ページ)
◆線種 (118ページ)
◆寸法スタイル (155ページ)
◆文字スタイル (149ページ)

何らかのテンプレートを開くと、それ以降、《スタート》タブの[新規作成]のクリック(019ページ)でも、そのテンプレートが開きます。

❶【クイック新規作成】ツール

「テンプレートを選択」ダイアログ

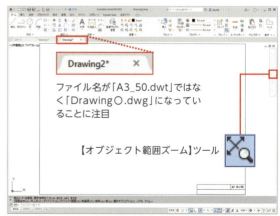

ファイル名が「A3_50.dwt」ではなく「Drawing○.dwg」になっていることに注目

【オブジェクト範囲ズーム】ツール

テンプレートファイル「A3_50.dwt」を開いたところ

1.10.2 作図補助ツールを確認する

ステータスバーにある作図補助ツールが図のようになっているかを確認します。特に【極トラッキング】に注目します。

❶【極トラッキング】

❶ 作図補助ツールの【極トラッキング】がオンになっているのを確認する

1.10.3 長さ12mの水平線を描く

直線は【線分】ツールで任意の2点をクリックすれば描けますが、それだけでは図面の線になりません。図面に使える線は長さと角度を指定したものか、既存の点を結ぶ線です。例として長さ12mの水平線を描いてみます。

❶【線分】ツールをクリックする
❷ 作図ウィンドウの任意の点（A点）をクリックしてからカーソルを右水平方向に動かす
※水平の「極トラッキングベクトル」が表示されるのを確認してください。これで水平方向とわかります。

❸ ＜12000＞mmを入力する
※＜　＞の中身だけ、すなわち 12000 だけを入力します。
※カーソルのそばに＜12000＞を入力するためのボックスがないときは、ステータスバーの【ダイナミック入力】をオンにしてください（026ページ）。

❹ スペース キーを押す（ツール終了）

❶【線分】ツール

極トラッキングベクトル

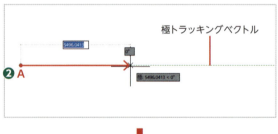

❷ A

❸

結果

> 手順❹で スペース キーを押してツールを終了しました。AutoCADでは、 スペース キーと Enter キーが同じ働きをします。このため スペース キーの代わりに Enter キーを押してもツールを終了できます。
> 023ページで右クリックを Enter キーとして働くように設定しました。この設定で「 スペース キー＝ Enter キー＝右クリック」になり、本書で「 スペース キーを押す」と書いてあるところを「右クリックする」と読み替えてかまいません。
> 以下、「 スペース キーを押す」主な場面を記します。
>
> ◆ツールを終了する
> ◆直前に使用したツールを再度呼び出しする
> ◆オブジェクトを選択したときに選択を確定する

1.10.4 水平・垂直線を続けて描く

前項は1本の線分を描きましたが、ここでは水平線と垂直線を連続して描きます。

❶ 前項で描いた図形を削除する（038ページ）
❷【線分】ツールをクリックする

❶【線分】ツール

❸ 任意の点（A点）をクリックする
❹ 右水平方向にカーソルを動かしてから
　＜5000＞mmを入力してB点を確定する
❺ カーソルをB点の真上に動かしてから
　＜3000＞mmを入力してC点を確定する
❻ カーソルをC点の右水平方向に動かしてから
　＜5000＞mmを入力してD点を確定する
❼ カーソルをD点の真下に動かしてから
　＜3000＞mmを入力してE点を確定する
❽ カーソルをE点の右水平方向に動かしてから
　＜5000＞mmを入力する
❾ スペース キーを押す（ツール終了）

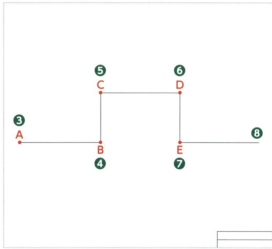

【線分】ツールで描いた直線は連続線（ポリライン）ではなくばらばらの線分です。ここで描いた図形は5本の線分です。

1.10.5 不連続な水平線と垂直線を描く

前項では水平／垂直線を連続して描きましたがここでは不連続な線を描きます。なお以下の手順のA1点～D2点はすべて任意点です。

❶ 前項で描いた図形を削除する
※以降はこの操作の記述を省略します。
❷【線分】ツールをクリックする

❶【線分】ツール

❸ 作図ウィンドウで任意の位置（A1点）をクリックしてから右水平方向に動かし、極トラッキングベクトルを表示させ、A2点でクリックする
❹ スペース キーを2回押す
❺ ステップ❸と同じようにB1点→B2点に水平線を描く
❻ スペース キーを2回押す
❼ ステップ❸と同じようにC1点→C2点に垂直線を描く
❽ スペース キーを2回押す
❾ ステップ❸と同じようにD1点→D2点に垂直線を描く
❿ スペース キーを押す（ツール終了）

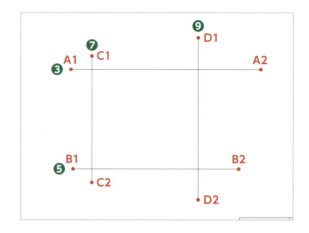

手順の❹、❻、❽で スペース キーを2回押したのは、1回目が【線分】ツールをいったん終了するため、2回目は直前に使用したツール、ここでは【線分】ツールを再開するためです。

1.10.6 極トラッキングを設定する

ここまで描いた直線は【極トラッキング】を利用して水平線と垂直、すなわち0°と90°方向の直線を描きました。【極トラッキング】は027ページで、ほかの角度、たとえば30°や45°でも極トラッキングベクトルが表示されるように設定をしてます。これを確認します。

❶ 作図補助ツールの【極トラッキング】を右クリックする
❷ メニューで[15, 30, 45, 60...]にチェックがついているのを確認する

この設定で15°の整数倍、すなわち15°、30°、45°、60°、75°、90°～方向の極トラッキングベクトルを使えます。

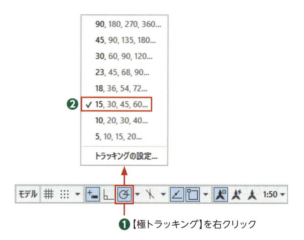

❶【極トラッキング】を右クリック

1.10.7 斜め線を描く

それでは【極トラッキング】を使って斜め線、例として60°方向で長さ6mの線を描きます。

❶【線分】ツールをクリックする

❶【線分】ツール

❷ 作図ウィンドウで任意の点（A点）をクリックしてから斜め右上方向に動かし、60°方向の極トラッキングベクトルを表示させる
❸ ＜6000＞mmを入力する
❹ スペース キーを押す（ツール終了）

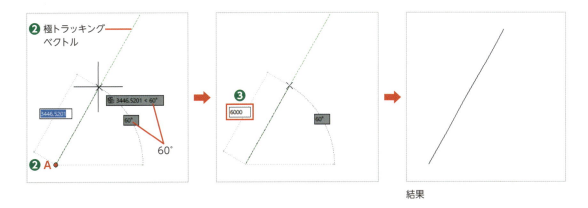

結果

1.10.8 座標を入力して斜め線を描く

斜め線を描きますが、ここでは相対座標を用いて斜め線を正確に描きます。1点目を原点としたときの2点目の相対座標（ΔX, ΔY）を入力して指定します。
※Δは「デルタ」と読みます。

斜め線と相対座標（ΔX, ΔY）の関係

❶【線分】ツールをクリックする

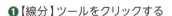 ❶【線分】ツール

❷ 任意の点（A点）をクリックする
❸ ＜6000,4000＞を入力してB点を確定する

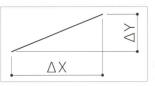

❹ ＜6000,-4000＞を入力する

> AutoCADで相対座標で指定するときは座標値の頭に「@」（アットマーク）をつけるのがルールです。ここの例なら＜@6000,4000＞を入力します。ただし本書のように【ダイナミック入力】（026ページ）を使っているときは「@」を省略できます（省略しなくてもよい）。なお相対座標ではなく絶対座標を入力するときは頭に「#」をつけます。絶対座標の原点はUCSアイコンです。

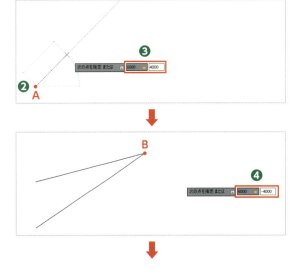

❺ [スペース]キーを押す（ツール終了）

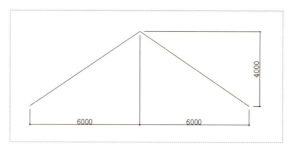

結果（この図には参考のために寸法を記入している）

1.10.9 オブジェクトスナップを用いて直線を描く

　一般のCADのスナップをAutoCADでは「オブジェクトスナップ」と呼んでいます。そしてグリッドスナップのことを「スナップ」と呼びます。オブジェクトスナップについては134ページで詳しく説明しますので、ここでは操作法のみ説明します。練習用データを開いてから練習します。

 練習用データは「7days_2022」フォルダにある「Day1」フォルダの「Ex103.dwg」です。

❶ オブジェクトスナップの確認

　【オブジェクトスナップ】ツールは027ページで設定しています。その設定を確認します。

❶作図補助ツールの【オブジェクトスナップ】を右クリックし、内容を確認する

　端点、中点、点、交点、挿入基点の5モードだけがオンです。この設定が本書での【オブジェクトスナップ】の設定です。

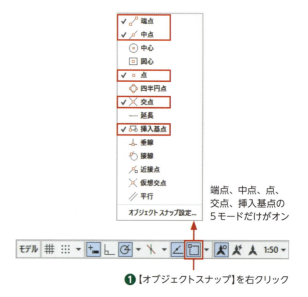

端点、中点、点、交点、挿入基点の5モードだけがオン

❶【オブジェクトスナップ】を右クリック

❷ オブジェクトスナップを用いて線を描く

❶【線分】ツールをクリックする
❷A点（端点）、続けてB点（端点）をクリックして直線を描く
❸[スペース]キーを2回押す（ツール終了と再開）

❶【線分】ツール

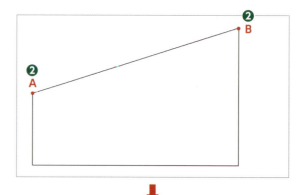

1.10 直線を描く

❹ C点(中点)→D点(中点)をクリックして直線を描く
❺ スペース キーを押す(ツール終了)

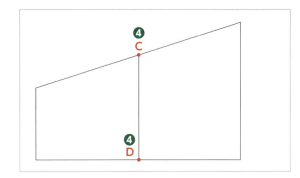

端点付近にカーソルを近づけると端点に□マーカーと「端点」というツールチップが表示されます。この状態でクリックすれば正確に端点を指示できます。なお中点の場合は△マーカーが表示されます。

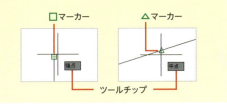

引き続きオブジェクトスナップを用いて線を描きますが、今度は極トラッキングとの連携機能を利用します。

❻ 【線分】ツールをクリックする
❼ A点(中点)をクリックしてからカーソルを右水平方向に動かし、交点のマーカー(✕)が表示されるところでクリックする
❽ スペース キーを押す(ツール終了)

❻【線分】ツール

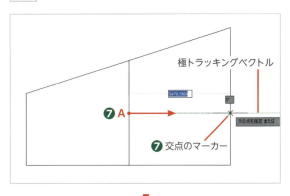

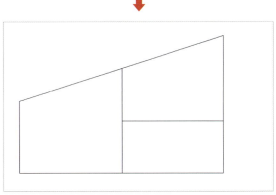

結果

1日目 基本操作をおぼえる

1.11 構築線を描く

「構築線」とは無限長の直線です。一般の直線（線分）は長さがあり両端に端点がありますが、構築線は端がないので端点がありません。なお同じく無限長の直線でも片側に端点があるものを「放射線」といいます。

構築線は図面に使う図形ではなく補助線や下書き線として使います。たとえば建築図で上部に平面図を置いて立面図に必要な参照点に構築線を描き、この構築線を基準にして立面図の作成を始めるといった使い方をします。

構築線は長さが無限というほかは線分と同じで、線の編集（081ページ〜）の対象になりますし印刷されます。構築線を編集して片側に端点が生じると「放射線」に変わり、両端に端点が生じれば「線分」に変わります。

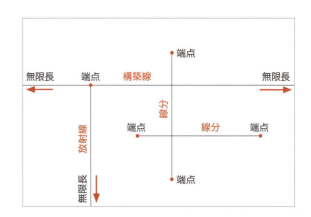

1.11.1 水平／垂直の構築線を描く

水平／垂直の構築線を描いてみます。練習用データを開いてから練習します。

 練習用データは「7days_2022」フォルダにある「Day1」フォルダの「Ex104.dwg」です。

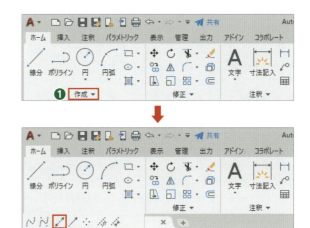

❶ [作成]パネルのパネル名部分（[作成▼]）をクリックする
❷ 【構築線】ツールをクリックする
※ 以降は❶、❷の操作をまとめて「[[作成]パネルの【○○】ツールをクリックする」のように記述します。

【構築線】ツールは[作成]パネルに含まれますが、右上図では[作成]パネル内に表示されていません。このように表示されていないツールは、パネル名部分、ここでは[作成▼]をクリックすると表示されます。

❷＜h＞を入力する（水平）

❸ 作図ウィンドウの任意の位置（図の赤い点）を数カ
　所クリックする
❹ スペース キーを押す（ツール終了）

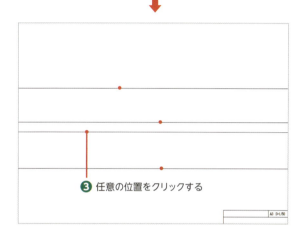

❺ スペース キーを押す（【構築線】ツールの再開）
❻＜v＞を入力する（垂直）

❼ 作図ウィンドウの任意の位置（図の赤い点）を数カ
　所クリックする
❽ スペース キーを押す（ツール終了）

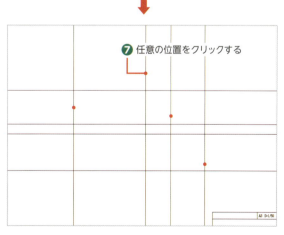

1.11.2 斜めの構築線を描く

　斜めの直交する構築線を描きます。練習を始める前にこれまで描いた構築線を削除しておきます
※交差選択をすると楽に削除できます（037ページ）。

❶［作成］パネルの【構築線】ツールをクリックする

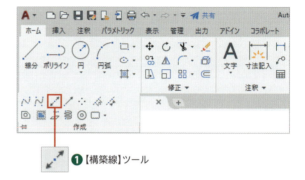

❷＜ a ＞を入力する（角度）

❸＜ 40 ＞を入力する（角度＝40°）

❹作図ウィンドウの任意の位置（図の赤い点）を数カ所クリックする
❺ スペース キーを押す（ツール終了）

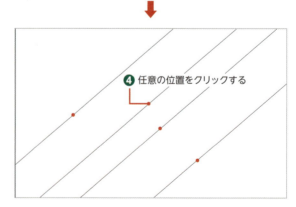

1.12 円弧を描く

AutoCADで円弧は直線と同じように簡単に描けますが、描く順序により11種類もの描き方があります。ここでは頻繁に使う3種類の描き方を紹介します。またツールは基本の【円弧－3点】ツールのみ使用し、ほかの描き方はオプションで切り替えます。

1.12.1 3点を指定して円弧を描く

AutoCADの円弧の基本は3点弧です。これは弧端点→中間点→弧端点と3点をクリックして円弧を描く方法です。練習用データを開いてから練習します。

練習用データは「7days_2022」フォルダの中の「Day1」フォルダの中にある「Ex104.dwg」です。

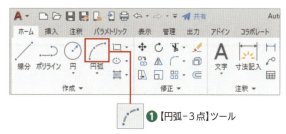

❶【円弧－3点】ツールをクリックする
※【円弧－3点】ツールが円弧のツールの代表です。そこで【円弧－3点】ツールを以降は【円弧】ツールと記します。

❷作図ウィンドウで任意の3点(A点→B点→C点)をクリックする

1.12.2 中心から円弧を描く(左回り)

中心と半径を指定して円弧を描きます。左回り(反時計回り)と右回り(時計回り)では操作手順が違うので左回りから説明します。

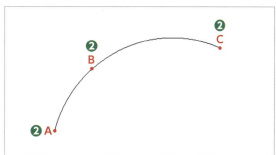
❶【円弧】ツール

❶【円弧】ツールをクリックする
❷＜c＞を入力する(中心)
❸作図ウィンドウの任意の位置(A点、中心)をクリックする
❹右水平方向の任意のB点(円弧の始点)をクリックする
❺カーソルを左回りに動かし、任意のC点(円弧の終点)でクリックする

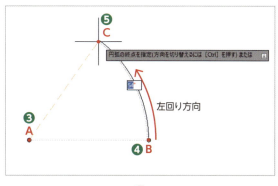

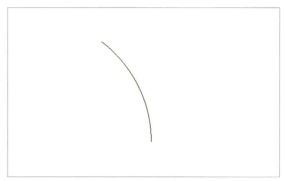

中心と半径を指定して円弧を左回りに描いた結果

1.12.3 中心から円弧を描く(右回り)

　中心と半径を指定して右回りに円弧を描きます。右回りの円弧を描くときは Ctrl キーを使います。

❶【円弧】ツール

❶【円弧】ツールをクリックする
❷＜c＞を入力する(中心)
❸作図ウィンドウの任意の位置(A点、中心)をクリックする
❹右水平方向の任意のB点(円弧の始点)をクリックする
❺ Ctrl キーを押しながらカーソルを右回りに動かし、任意のC点(円弧の終点)でクリックする

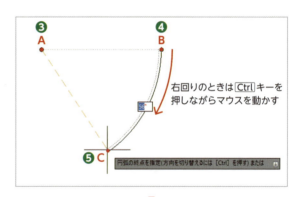

中心と半径を指定して円弧を右回りに描いた結果

1.12.4 中心と角度で円弧を描く

円弧の中心と角度を指定して円弧を描きます。例として角度を75°にします。

 ❶【円弧】ツール

❶【円弧】ツールをクリックする
❷＜c＞を入力する(中心)
❸作図ウィンドウの任意の位置(A点、中心)をクリックする
❹カーソルを動かし、任意の位置(B点、円弧の始点)でクリックする
❺＜a＞を入力する(角度で指定)
❻＜75＞°を入力する

※角度は左回り(反時計回り)を+(プラス)とします。

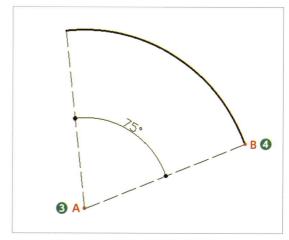

円弧(太線)以外の図形は説明用にあとでつけ加えたもの

1.13 長方形を描く

　長方形は【長方形】ツールを使って描きます。長方形は4本の線分で構成されているように見えますが、オブジェクトのタイプは「ポリライン」です。すなわち、ばらばらの線分ではなくひとつながりの図形です。

1.13.1 長方形をフリーに描く

　長方形には4つの頂点があります。このうち任意の対角2点をクリックすれば長方形を描けます。

 練習用データは「7days_2022」フォルダの中の「Day1」フォルダの中にある「Ex104.dwg」です。

❶【長方形】ツールをクリックする

❷作図ウィンドウで任意の2点(A点→B点)をクリックする

❶【長方形】ツール

この図では右上方向に指定しているが、どの方向(左右・上下)に指定してもよい

1.13.2 正確なサイズの長方形を描く

　正確なサイズの長方形を描くには2点目を相対座標で指定します。例として8m×3mの長方形を描きます。

❶【長方形】ツールをクリックする
❷作図ウィンドウの任意の点(A点)をクリックする
❸<8000,3000>を入力する

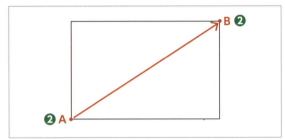

8000×3000の長方形

【長方形】ツールには多数のオプション、傾いた長方形を描くオプションや角丸長方形を描くオプションなどがあります。しかしこれらのオプションを使うより長方形を描いたあと編集ツールを使うほうが現実的です。たとえば傾いた長方形は【回転】ツールで長方形を回転させます。角丸長方形は長方形を【フィレット】ツールで加工します。

2日目
図形を描く

2日目の練習内容

2日目　図形を描く【練習内容】

1日目で直線、円弧、長方形など基本図形を描きましたが、引き続きさまざま図形の作成の練習をします。CADでは図形の編集が重要ですが、編集するには元になる図形が必要なので図形の作成もしっかり身につけてください。

2.1　円を描く

- 中心点と半径を指定して円を描く
- 2点を指定して円を描く
- 3点を指定して円を描く
- 接円を描く

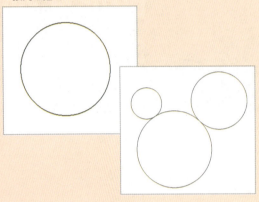

2.2　正多角形を描く

- 正多角形の基本的な描き方
- 辺から正多角形を描く

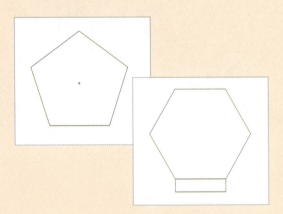

2.3　ポリラインを描く

- ポリラインを描く
- ばらばらの図形をポリラインに変換する
- ポリラインを曲線に変換する

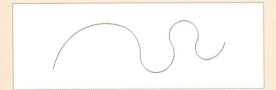

2.4　NURBS曲線を描く

- 【スプライン】ツールでNURBS曲線を描く
- NURBS曲線を編集する
- NURBS曲線の始点／終点の接線方向を編集する

2.5 楕円と楕円弧を描く

- 3点を指定して楕円を描く
- 中心から楕円を描く
- 楕円弧を描く

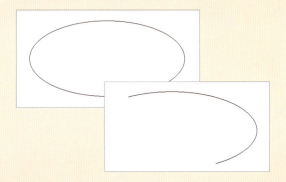

2.6 点オブジェクトを描く

- 点スタイルを設定する
- 点オブジェクトを描く

2.7 ハッチング処理をする

- ハッチングの基本的な描き方
- 複雑な範囲のハッチングを作成する
- ハッチングで塗り潰しする

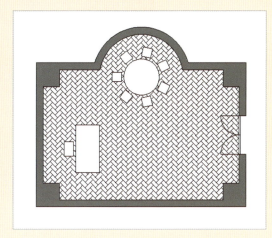

2.8 ブロックを使う

- DesignCenter を使ってブロックを利用する
- 角度を変えてブロックを配置する
- ブロックを作る
- ブロックを配置する
- ブロックを分解する

2.9 ツールパレットを使う

- ツールパレットでブロックを配置する
- ツールパレットでハッチング処理する
- ブロックをツールパレットに登録する

2.1 円を描く

2日目の最初は円です。円を描く方法もいくつかありますのがその中の3つの方法を説明します。【円−中心、半径】ツールが円のツールの代表です。

2.1.1 中心点と半径を指定して円を描く

中心点と半径を指定して正確なサイズの円を描きます。例として半径2mの円を描いてみます。

 練習用データは「7days_2022」フォルダの中の「Day2」フォルダの中にある「Ex201.dwg」です。

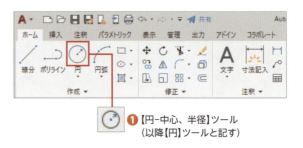

❶【円−中心、半径】ツール（以降【円】ツールと記す）

❶【円−中心、半径】ツールをクリックする
※【円−中心、半径】ツールが円のツールの代表です。そこで【円−中心、半径】ツールを以降は【円】ツールと記します。

❷作図ウィンドウの任意の位置（A点、中心）をクリックする

❸<2000>mmを入力する（半径）

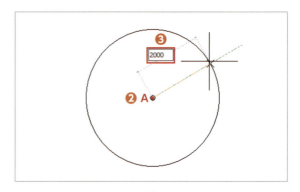

> 円の場合は描いたあとでプロパティパレットで半径や直径を変えられます。これを利用すると円を大まかに描いてそのあときちんとしたサイズに変えるというテクニックが使えます。
>
> ❶【円】ツールをクリックし任意の2点をクリックして円を描く
> ❷ ❶で描いた円をクリックして選択する
> ❸ Ctrl + 1 キーを押すなどの方法でプロパティパレットを呼び出す（120ページ）
> ❹ 半径あるいは直径の欄の数値を変える

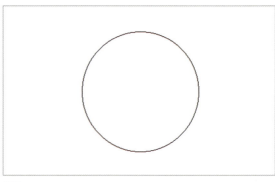

結果

2.1.2　2点を指定して円を描く

円の直径の2点を指定して円を描きます。

 練習用データは「7days_2022」フォルダの中の「Day2」フォルダの中にある「Ex202.dwg」です。

❶【円】ツールをクリックする
❷＜2p＞を入力する（2点）
❸A点（端点）→B点（端点）をクリックする

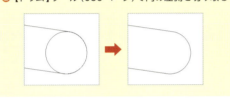

円柱のような形ができましたが右側の半円の描き方を説明します。
❶ ここで描いたのと同じように2点円を描く
❷【トリム】ツール（086ページ）で円の左側を切り取る

 ❶【円】ツール

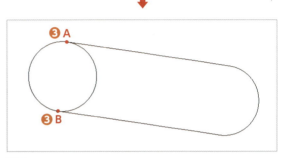

結果

2.1.3　3点を指定して円を描く

　任意の3点を通る円は1つしかありません（3点が直線上に並ばない場合）。3点を指定して円を描くことは意外に多いものです。たとえば円弧があってこの円弧にピタリと重なる円を描きたいといった場合です。ここでは長方形の頂点を通る円を描いてみます。

 練習用データは「7days_2022」フォルダの中の「Day2」フォルダの中にある「Ex203.dwg」です。

❶【円】ツールをクリックする
❷＜3p＞を入力する（3点）
❸A点（端点）→B点（端点）→C点（端点）を順にクリックする
※長方形に頂点が4点ありますが、このうち任意の3点をクリックします。クリックする順序も任意です。

 ❶【円】ツール

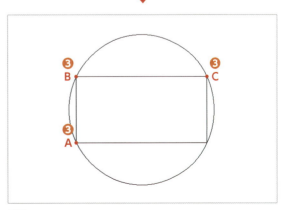

結果

2.1.4 接円を描く

2つの円に接する円（接円という）は機械設計では必須のものですが、手描きでは難しくCADなら簡単に描けます。

 練習用データは「7days_2022」フォルダの中の「Day2」フォルダの中にある「Ex204.dwg」です。

❶【円】ツールをクリックする
❷ <t> を入力する（接、接、半）
❸ 2つの円の●印をつけたあたりをクリックする
❹ <4000> mmを入力する（半径）

 ❶【円】ツール

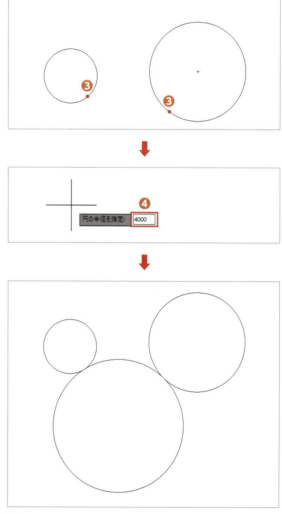

結果

3円に接する円

【円】ツールに3円に接する円を描くオプションはありませんが、【円】ツールの「3点(3P)」オプションと[オブジェクトスナップ]の「接線」を組み合わせると3つの円に接する円を描けます。

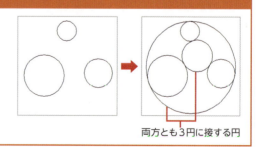

両方とも3円に接する円

2.2 正多角形を描く

正多角形のことを AutoCAD では「ポリゴン」と呼び、【ポリゴン】ツールで描きます。

ポリゴン（正多角形）の例
辺（エッジ）の数は3以上ならいくつでもよい

2.2.1 正多角形の基本的な描き方

正五角形を例にして正多角形を描いてみます。

 練習用データは「7days_2022」フォルダの中の「Day2」フォルダの中にある「Ex201.dwg」です。

❶【ポリゴン】ツールをクリックする

【ポリゴン】ツールは、右上図では［作成］パネル内に表示されていません。【ポリゴン】ツールは【長方形】ツールとグループになるため、【長方形】ツール右の［▼］をクリックすると表示されます（034ページコラム参照）。

❷ <5> を入力する（正五角形）
❸ 任意の位置（A点）をクリックする
❹ <c> を入力する（外接）
❺ <4000> mmを入力する（円の半径）

※カーソルを動かしても（方向は任意）動かさなくても結果は同じです。

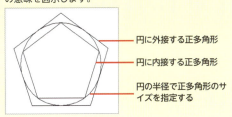

【ポリゴン】ツールの「内接」と「外接」および「円の半径」の意味を図示します。

― 円に外接する正多角形
― 円に内接する正多角形
― 円の半径で正多角形のサイズを指定する

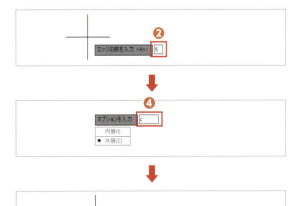

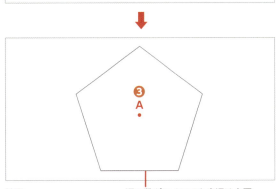

結果　　　　　　　辺の数がいくつでも底辺は水平

2.2.2 辺から正多角形を描く

辺（エッジ）の長さを指定して正六角形を描いてみます。

練習用データは「7days_2022」フォルダの中の「Day2」フォルダの中にある「Ex205.dwg」です。

❶【ポリゴン】ツールをクリックする
❷ <6>を入力する（正六角形）
❸ <e>を入力する（エッジ）
❹ A点（端点）→ B点（端点）をクリックする

 ❶【ポリゴン】ツール

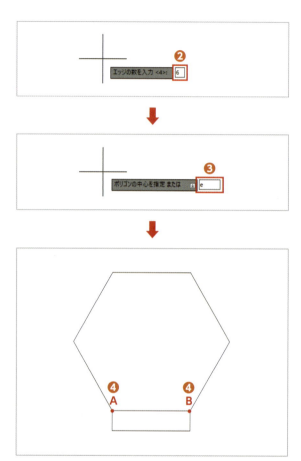

結果

2.3 ポリラインを描く

ポリラインとはひとつながりの線で、線分や円弧が連続した図形です。1つの線分／円弧のポリラインもありますがこれは特殊なケースです。

2.3.1 ポリラインを描く

ポリラインを作成するには「直接描く方法」と「線分／円弧をポリラインに変換する方法」があります。最初に「直接描く方法」を右図を例にして説明します。

 練習用データは「7days_2022」フォルダの中の「Day2」フォルダの中にある「Ex201.dwg」です。

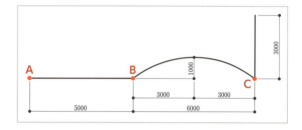

❶【ポリライン】ツールをクリックする
❷ 作図ウィンドウの任意の位置（A点）をクリックする
❸ カーソルを右水平方向に動かしてから＜5000＞mmを入力してB点を確定する
❹ ＜a＞を入力する（円弧）
❺ ＜s＞を入力する（3点弧の2点目、1点目はB点）
❻ ＜3000,1000＞を入力する（2点目）
❼ ＜3000,-1000＞を入力してC点を確定する（3点目）
❽ ＜l＞（エル）を入力する（直線）
❾ カーソルをC点の真上方向に動かしてから＜3000＞mmを入力する
❿ スペースキーを押す（ツール終了）

以上でポリラインを描けました。

> ポリラインにカーソルを近づけるとハイライト表示になり、ロールオーバーツールチップ（121ページ）が表示されます。確かにポリラインを描いたことがわかります。

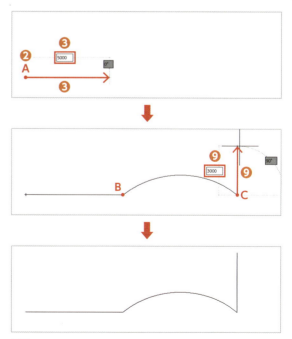

結果

2.3.2 ばらばらの図形をポリラインに変換する

前項の練習をしてみるとポリラインを描くときに緊張するのに気がつきます。もっと気楽に描きたいという場合は【線分】ツールと【円弧】ツールで個々の図形を描き、あとからポリラインに変換します。これを練習してみます。

練習用データは「7days_2022」フォルダの中の「Day2」フォルダの中にある「Ex206.dwg」です。「Ex206.dwg」には【線分】ツールと【円弧】ツールで描いた8つの図形があります。

❶【ポリライン編集】ツール

❶ [修正] パネルの【ポリライン編集】ツールをクリックする
❷ <m>を入力する（一括）
❸ 範囲指定で8つの図形を選択する
❹ スペース キーを押して選択を確定する
❺ <y>を入力する（ポリラインに変換）
※これで8つのポリラインに変換されます（1本の線分でもポリラインになる）。

❻ <j>を入力する（結合）
❼ スペース キーを押す（許容距離＝0mm）
❽ スペース キーを押す（ツール終了）
※❻〜❽の操作で8つのポリラインが1つのポリラインにまとめられます。

❾ カーソルを図形に近づけてポリラインになっているのを確認する

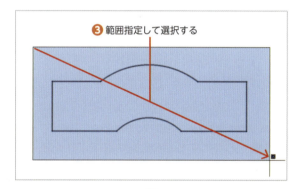

❸ 範囲指定して選択する

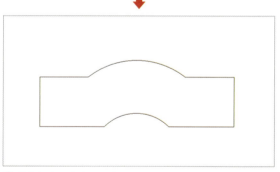

❽ 結果（画面に変化はない）

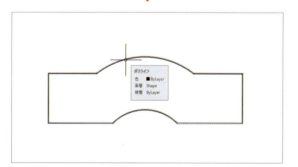

❾ カーソルを近づけて確認する

2.3.3 ポリラインを曲線に変換する

　ポリラインは曲線に変換できます。ただしポリラインから変換できる曲線は簡易型の曲線とBスプラインです。
　なおAutoCADで本格的な曲線（NURBS曲線）を描くには【スプライン】ツール（064ページ）を使います。

練習用データは「7days_2022」フォルダの中の「Day2」フォルダの中にある「Ex207.dwg」です。

❶作図ウィンドウの上部にあるポリラインをクリックして選択する
❷右クリックして表示されるメニューで［ポリライン］→［カーブフィット］をクリックする

※この右クリックは短時間の右クリックです。

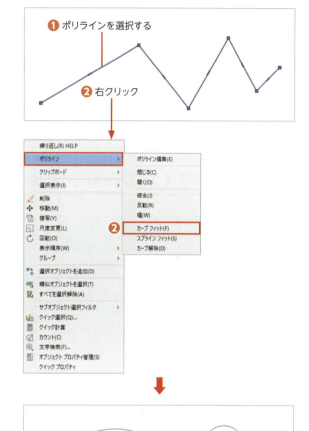

残ったポリラインはほぼ同じ手順でスプラインに変えられます。ただし❷で［ポリライン］→［スプラインフィット］をクリックしてください。

［スプラインフィット］を適用した結果

【カーブ フィット】を適用した結果

ポリラインから変換できる曲線は「カーブ フィット」と「スプライン フィット」です。「カーブ フィット」は円弧を連ねたもので簡易的な曲線ですが、元のポリラインの頂点を通るので結果を予測しやすいという特長があります。
「スプライン フィット」は一般に「Bスプライン」と呼ばれる曲線です。こちらは本格的な曲線できれいな形をしていますがポリラインの頂点から離れるため、どんな曲線ができるか予測が難しいです。
図は元のポリラインと両曲線を重ね合わせたものです。

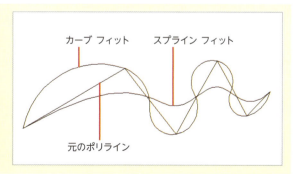

2.4 NURBS曲線を描く

　CADで描く曲線には数学的な裏づけがありますが、1種類ではなく何種類もあります。古くから「Bスプライン曲線」と「ベジェ曲線」がよく知られていますが、最近は「NURBS曲線」が多くのCADで採用されています。
　NURBS（ナーブス）はNonUniform Rational B-Spline（非等間隔有理化Bスプライン）の略称です。曲線の数学的表現形式の1つで、Bスプライン曲線やベジェ曲線の欠点を改良したものです。
　AutoCADでは【スプライン】ツールで描いた曲線がNURBS曲線です。

2.4.1 【スプライン】ツールでNURBS曲線を描く

【スプライン】ツールでNURBS曲線を描きます。

> 練習用データは「7days_2022」フォルダの中の「Day2」フォルダの中にある「Ex208.dwg」です。

❶ [作成]パネルの【スプライン】ツールをクリックする
❷ A点（端点）→ B点（端点）→ C点（端点）→ D点（端点）をクリックする
❸ スペース キーを押す（ツール終了）
❹ ポリラインを削除する

 ❶【スプライン】ツール

　これでNURBS曲線を作成できますが、普通はこのあと曲線を編集して形を整えます。

> 【スプライン】ツールはツールチップに「スプラインフィット」と表示されますが、作成／編集で[フィット]だけでなく[制御点]も選べます。このため本書ではこのツールを【スプライン】ツールと記します。

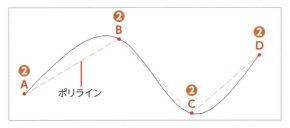

2.4.2 NURBS曲線を編集する

　【スプライン】ツールで描いたNURBS曲線を編集する方法には次の2つの種類があります。
◆ フィット点（通過点）を操作する方法
◆ 制御点（制御フレームの頂点）を操作する方法
　この2つの方法は簡単に切り替えられます。

❶ NURBS曲線をクリックして選択する
❷ 曲線の始点近くに表示される▼をクリックする
❸ メニューの[フィット]か[制御点]をクリックする

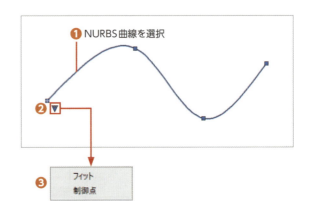

❹ 移動するフィット点または制御点をクリックし、カーソルを動かして目的の位置でクリックする
❺ 編集が終わったら[Esc]キーを押す(選択解除)

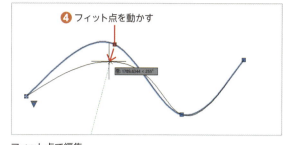

フィット点で編集

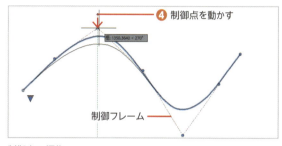

制御点で編集

2.4.3 NURBS曲線の始点／終点の接線方向を編集する

NURBS曲線の終点の接線方向を変えてみます。
※終点とはNURBS曲線を描いたとき最後にクリックした点です。

❶ 曲線をクリックして選択する
❷ 始点近くの▼をクリックして[フィット]をクリックする(前項参照)
❸ 終点(フィット点)にカーソルを合わせるとメニューが表示される
❹ [接線方向]をクリックする
❺ カーソルを動かし、曲線が期待する方向になったらクリックする
❻ [Esc]キーを押す(選択解除)

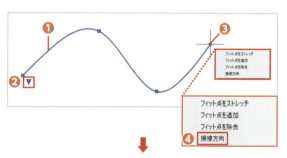

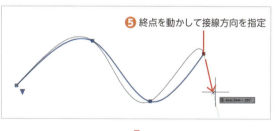

ここでは終点の接線方向を変えましたが始点の接線方向も変えられます。またすべてのフィット点でメニューを表示できますが本書の範囲を超えるので説明を省略します。

結果

2.5 楕円と楕円弧を描く

楕円と楕円弧の描き方を説明します。楕円と楕円弧の両方とも【楕円】ツールで描きます。

2.5.1 3点を指定して楕円を描く

3点を指定して楕円を描きます。

 練習用データは「7days_2022」フォルダの中の「Day2」フォルダの中にある「Ex201.dwg」です。

❶【楕円−軸、端点】ツールをクリックする

※本書では【楕円-軸、端点】ツールを、以降は【楕円】ツールと記します。

❷任意の位置（A点）でクリックしてからカーソルを右水平方向に動かし、任意の位置（B点）でクリックする

※この操作で中心点（C点）が確定します。

❸カーソルを中心（C点）の真上方向に動かし、任意の位置（D点）でクリックする

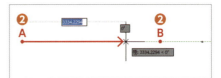

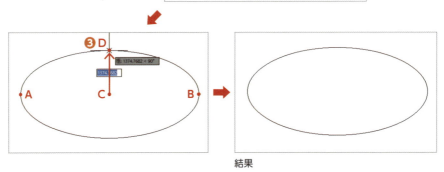

結果

2.5.2 中心から楕円を描く

楕円を中心点から描いてみます。

 ❶【楕円】ツール

❶【楕円】ツールをクリックする
❷＜c＞を入力する（中心）
❸A点をクリックする（中心）
❹B点→C点をクリックする

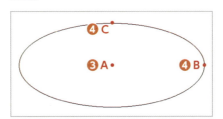

2.5.3 楕円弧を描く

楕円弧は最初に<a>を入力しますが、前半は楕円を描く手順とまったく同じです。方法も3点指定、回転、中心点指定などから選べます。楕円を描いたあと楕円弧の始点と終点を指定しますが、ここでは画面で指定します。

❶【楕円】ツールをクリックする
❷<a>を入力する（楕円弧）
❸A点→B点→C点をクリックする
❹カーソルを動かして楕円弧の始点（D点）でクリックする
❺カーソルを動かして楕円弧の終点（E点）でクリックする

> 【楕円－楕円弧】ツールでも楕円弧を作成できますが、本書では【楕円】ツールを使います。

 ❶【楕円】ツール

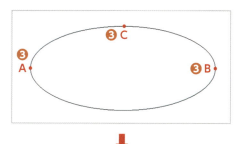

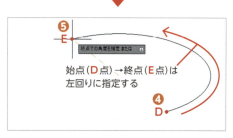

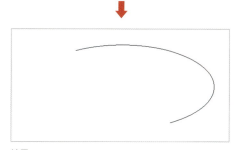

結果

プロパティパレットでは、中心から見た楕円弧の始点方向と終点方向の角度を数値で確認でき、指定した角度に変えられます。その手順を示します。なお同様の方法で楕円を楕円弧に変えられます。

❶ 楕円弧を選択する
❷ Ctrl + 1 キーを押して、プロパティパレットを呼び出す（120ページ）
❸ プロパティパレットで数値を変更する

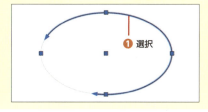

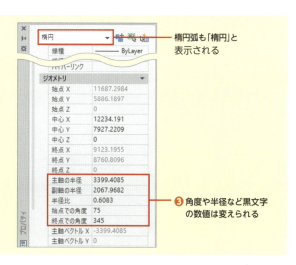

楕円弧も「楕円」と表示される

❸角度や半径など黒文字の数値は変えられる

2.6 点オブジェクトを描く

製図で使う「点」を一般に「点」と呼びますが、位置を示す「点」と区別するため本書では「点オブジェクト」と呼びます。点オブジェクトは製図の途中で点オブジェクトを参照点（補助点）としてよく使います。

最初に点オブジェクトの仕様を説明します。

- ◆点オブジェクトの形とサイズは【点スタイル管理】で指定する
- ◆点オブジェクトは［オブジェクトスナップ］の「点」スナップの対象になる
- ◆点オブジェクトはほかの図形と同じように印刷される。このため参照点は使ったあと消去するか、見えないようにする
- ◆点オブジェクトは一般のオブジェクトと同じように移動や複写あるいは削除の対象になる

2.6.1 点スタイルを設定する

点オブジェクトを描く前にスタイルを設定します。

練習用データは「7days_2022」フォルダの中の「Day2」フォルダの中にある「Ex201.dwg」です。

❶ ［ユーティリティ］パネルの【点スタイル管理】ツールをクリックする

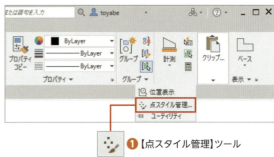

❶【点スタイル管理】ツール

❷「点スタイル管理」ダイアログで使いたいスタイルをクリックする
❸ 点サイズを設定する（普通はデフォルトのままにする）
❹ OK をクリックする

点を見えなくするときに使うスタイル

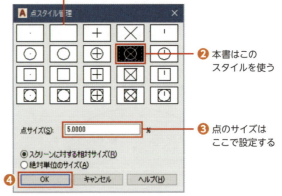

❷ 本書はこのスタイルを使う

❸ 点のサイズはここで設定する

「点スタイル管理」ダイアログ

068

2.6.2 点オブジェクトを描く

点オブジェクトを描いてみます。

❶ [作成]パネルの【複数点】ツールをクリックする
❷ 作図ウィンドウで何カ所(ここでは7カ所)かクリックする
❸ Esc キーを押す(ツール終了)

> 【複数点】ツールは スペース キーを押しても終了しないので Esc キーを押して終了させるか、ほかのツールをクリックします。

❶【複数点】ツール

> 【複数点】ツールは多数の点を描くときには便利ですが、1つだけ描くときにはやや不便です。そこで点オブジェクトを1つだけ描く方法を紹介します。
>
> ❶ いずれのコマンドも実行されていない状態で、<po>を入力する(単独点のコマンド)
> ❷ 点オブジェクトを描きたい位置をクリックする(描画と終了)

> 作図ウィンドウで作業していると点オブジェクトの表示サイズが変わりますが、機能に影響はないので気にしないことです。どうしても気になるときは<regen>(再作図)を入力してください。

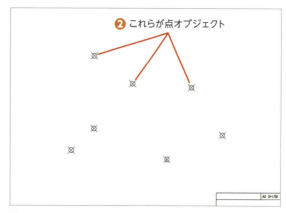

❷ これらが点オブジェクト

結果

2.7 ハッチング処理をする

　線だけの図形で面を表現するにはハッチングを施すか塗り潰しをします。AutoCADでは塗り潰しも「ハッチング」で処理します。
　ハッチングを施すには次の方法のいずれかで行います。
◆【ハッチング】ツールを用いる
◆ツールパレットを用いる
　2つの方法は操作法が違いますが生成されるハッチングは同じものです。ここではハッチングの基本の【ハッチング】ツールを説明します。ツールパレットを用いたハッチングの方法は079ページで改めて説明します。

2.7.1 ハッチングの基本的な描き方

　まず、ハッチングの基本的な描き方を練習します。

 練習用データは「7days_2022」フォルダの中の「Day2」フォルダの中にある「Ex209.dwg」です。

❶【ハッチング】ツールをクリックする
※リボンに《ハッチング作成》タブが表示されます。

❷[パターン]パネルの ▼ をクリックする
❸パターンのリストで「HONEY」を探し、見つけたらクリックする

❹[ハッチングパターンの尺度]に<**80**>倍を入力する

用意されているハッチングパターンの単位はミリとインチのものがあり尺度はばらばらです。このため何回か繰り返して適切な尺度を見つけます。この例の「80倍」もそのようにして見つけた値です。

❺【境界オブジェクトを選択】をクリックする

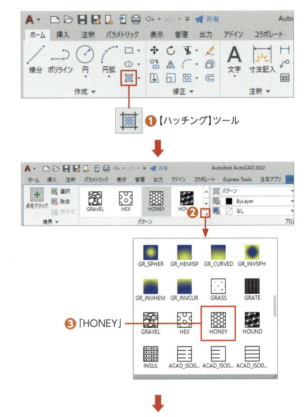

❶【ハッチング】ツール

❸「HONEY」

❺【境界オブジェクトを選択】　　❹ハッチングパターンの尺度＝80

❻ 作図ウィンドウにある長方形の辺（エッジ）をクリックする（4カ所）

※長方形の辺をクリックしてください。

❼ スペース キーを押す（ツールの終了）

「境界オブジェクト」とは「閉じた図形」、すなわち「すきまのない図形」を意味します。図は両方とも「閉じていない図形」、すなわち「すきまがある図形」で境界オブジェクトとして使えない図形です。

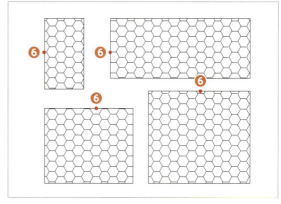

結果

ハッチングは元の図形とは別のオブジェクトとして生成されます。そのためハッチングだけ別の画層に移動したり、削除することもできます。

作成済みのハッチングを修正したいときは次のようにします。

❶ ハッチングをクリックする
※上図はハッチングが4つあるように見えますが実際は1つです。
❷ リボンに《ハッチングエディタ》タブが表示されるのでハッチングの内容を変更する。

2.7.2 複雑な範囲のハッチングを作成する

前項では長方形にハッチングを施しましたが、ここでは複雑な図形のケースでハッチングの境界を自動的に生成させます。

 練習用データは「7days_2022」フォルダの中の「Day2」フォルダの中にある「Ex210.dwg」です。

❶【ハッチング】ツールをクリックする
❷［パターン］パネルの 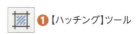 をクリックする

❸ パターンのリストで「AR-HBONE」を探し、見つけたらクリックする

❹［ハッチングパターンの尺度］に＜1.5＞倍を入力する
❺【点をクリック】をクリックする

❶【ハッチング】ツール

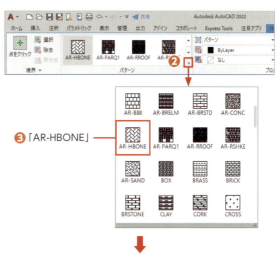

❸「AR-HBONE」

❺【点をクリック】　　❹ ハッチングパターンの尺度＝1.5

071

❻ ●印をつけたあたりをクリックする（3カ所）
❼ スペース キーを押す（ツールの終了）

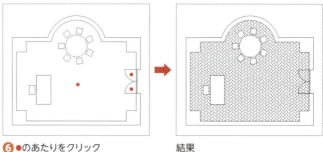

❻ ●のあたりをクリック　　　結果

2.7.3 ハッチングで塗り潰しする

前項で床にハッチングを施しましたが、続いて壁・柱を塗り潰してみます。

❶【ハッチング】ツール

❶【ハッチング】ツールをクリックする

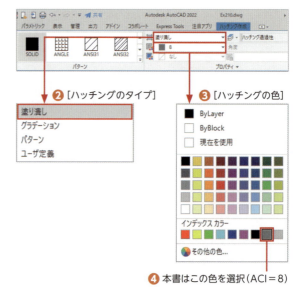

❷[ハッチングのタイプ]で「塗り潰し」をクリックする
❸[ハッチングの色]をクリックする
❹ 色のリストで任意の色を選択する
❺ ●印をつけたあたりをクリックする（1カ所）
❻ スペース キーを押す（ツールの終了）

❷[ハッチングのタイプ]　❸[ハッチングの色]

❹ 本書はこの色を選択（ACI＝8）

【点をクリック】と【境界オブジェクトを選択】はハッチングの操作モードです。操作モードの指定を省略したときはその前に指定したモードが適用されます。
前項で【点をクリック】を使ったので、ここでは【点をクリック】が操作モードになっています。

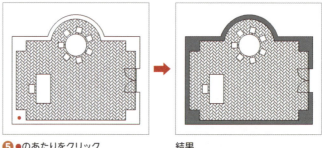

❺ ●のあたりをクリック　　　結果

2.8 ブロックを使う

「ブロック」はほかのCADで「シンボル」や「部品」と呼んでいる機能です。よく使う図形をブロックにしておけば同じ図形を描く無駄を省けます。またチームで設計するときに表現を統一することにも役立ちます。
　ブロックを配置するために次の方法が用意されています。
- DesignCenter を用いる（073 ページ）
- 【ブロック挿入】ツールを用いる（076 ページ）
- ツールパレットを用いる（078 ページ）

2.8.1 DesignCenter を使ってブロックを利用する

DesignCenterはサンプルのブロックの数が多いので、最初にDesignCenterによるブロックの利用方法を説明します。

 練習用データは「7days_2022」フォルダの中の「Day2」フォルダの中にある「Ex201.dwg」です。

❶ Ctrl + 2 キーを押すか、リボンの《表示》タブの【DesignCenter】ツールをクリックする

❷ DesignCenter の [ホーム] ボタンをクリックする

❸ ツリー表示で「Sample」フォルダ→「ja-JP」フォルダ→「DesignCenter」フォルダをクリックする

❹ ツリー表示の「DesignCenter」フォルダ内にあるファイルの中から、たとえば「Home-Space Planner.dwg」をクリックする

❺ コンテントビューで「ブロック」をダブルクリックする

❻ コンテントビューに「Home-Space Planner.dwg」に含まれるブロックが表示されるので、任意のブロックをドラッグして作図ウィンドウにドロップする

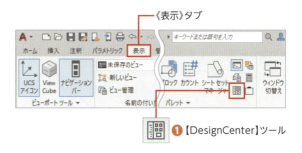

DesignCenter　　ツリー表示

いくつかのブロックを作図ウィンドウにドラッグ＆ドロップしてみる

2.8.2 角度を変えてブロックを配置する

DesignCenterからブロックを配置するとき角度を変えて配置したい場合があります。配置したあとで【回転】ツールで回転してもよいのですが、配置のときに回転する方法がありますので説明します。

 練習用データは「7days_2022」フォルダの中の「Day2」フォルダの中にある「Ex201.dwg」です。

❶ DesignCenterのコンテントビューで任意のブロック、たとえば「椅子-ロッキング」をダブルクリックする

❷「ブロック挿入」ダイアログで、[回転]の[角度]に<**45**>°をキーインする

❸ OK をクリックする

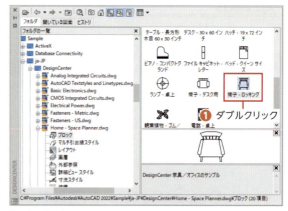
DesignCenter

「ブロック挿入」ダイアログ

❹ 作図ウィンドウで任意の位置をクリックして配置する

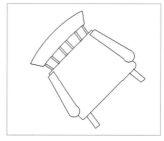
作図ウィンドウでクリックして配置

2.8.3 ブロックを作る

ブロックを作るのは簡単です。1本の線でも、あるいは図面全体でもブロックに変えられます。

 練習用データは「7days_2022」フォルダの中の「Day2」フォルダの中にある「Ex211.dwg」です。「Ex211.dwg」には長方形と円の2つの図形があります。

❶ 長方形と円を選択する

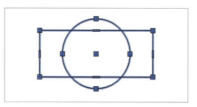
❶ 長方形と円を選択する

2.8 ブロックを使う

❷《ホーム》タブの【ブロック作成】ツールをクリックする

❷【ブロック作成】ツール

❸「ブロック定義」ダイアログで次のように操作する
- [名前]に任意の名前、たとえば＜Test_01＞とキーインする
- [基点]の「画面上で指定」にチェックを入れる
- [オブジェクト]の「画面上で指定」のチェックを外し、「ブロックに変換」を選択する
- 「ブロックエディタで開く」にチェックが入っていないことを確認する
- OK をクリックする

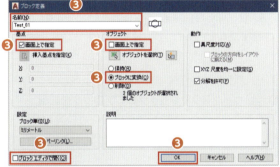

「ブロック定義」ダイアログ

❹ ●印をつけたあたりをクリックする

以上の操作で2つの図形はブロックに登録され、画面の図形もブロックに変換されます。ブロックに変換されたことを確認します。

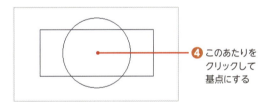

❹ このあたりをクリックして基点にする

❺ 図形にカーソルを合わせて少し待つ
❻ ロールオーバーツールチップに「ブロック参照」とあるのを確認する

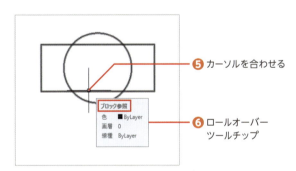

❺ カーソルを合わせる

❻ ロールオーバーツールチップ

ブロックは原則として「0」画層で作成します（「画層」は122ページで説明します）。
画層「0」でプロパティが「ByLayer」という環境でブロックを作成すると、そのブロックを配置した画層の「ByLayer」のプロパティになります。たとえば配置先の画層の図形色が赤ならブロックも赤色になります。しかしByLayer以外のプロパティに変えられません。
これに対し画層「0」でしかもプロパティが「ByBlock」という環境でブロックを作成すると、配置先で自由にプロパティを変えられます（変えなければByLayer）。
ブロックの用途に合わせて作成環境を選択してください。

ブロックを含む図形群、あるいは複数のブロックをさらにブロックにできます。これをブロックのネスト（入れ子）といいますが、もしデータ変換してほかのCADでデータを使用する予定があるならブロックのネストを作らないほうが安全です。なぜならばブロックが何重にもネスト化されていると（ネストが深いと）変換されない恐れがあるからです。

075

2.8.4 ブロックを配置する

前項で作ったブロックを図面に配置します。

練習用データは引き続き「Ex211.dwg」で、前項の操作を済ませているものとします。

❶【ブロック挿入】ツールをクリックする
❷ブロック「Test_01」が表示されるのでクリックする

※配置したブロックと作成したブロックはその図面に保存されます。ブロックが2種類以上あるときはリストが表示されます。

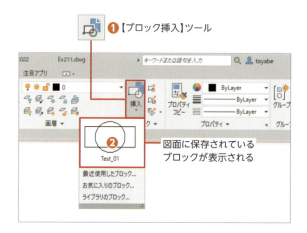

❸作図ウィンドウでクリックしてブロックを配置する

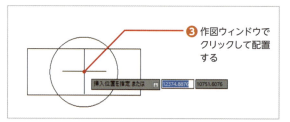

自分で作ったブロックをDesignCenterで配置する

自分で作ったブロックもDesignCenterで配置できます。ブロックをコンテントビューに表示させる方法を図示します。ブロックの配置方法は073ページで説明した手順と同じです。

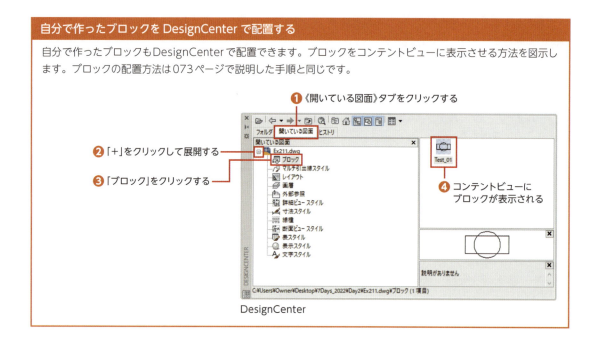

DesignCenter

2.8.5 ブロックを分解する

　ブロックは移動・複写・回転・鏡像・尺度変更など多くの編集が可能ですが、元の図形に戻したいときがあります。このようなときに【分解】ツールで分解して元の図形に戻します。

 練習用データは引き続き「Ex211.dwg」で、前項の操作を済ませているものとします。

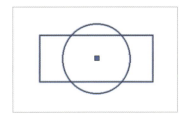

❶ ブロックを選択したところ

❶ 分解したいブロックを選択する
❷【分解】ツールをクリックする

　分解したあと選択してみると元の図形に戻っているのがわかります。

❷【分解】ツール

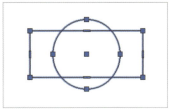

分解したあと選択してみた

　ブロックを分解すると元の図形に戻ります。たとえば「Test_01」ブロックを分解すると円と長方形に戻ります。しかし「Test_01」ブロックをすべて分解したとしてもデータ（Ex211.dwg）に「Test_01」ブロックは残っています。何らかの理由で「Test_01」を消したいときは次のようにします。

❶ アプリケーションメニューをクリックし、メニューの[図面ユーティリティ]→[名前削除]をクリックする
❷「名前削除」ダイアログが開き削除可能な項目（図面で使用されていない項目）が表示される
❸「ブロック」にチェックを入れる
❹ チェックマークが付いた項目を名前削除 をクリックする

あとは確認メッセージに応えると削除されます。

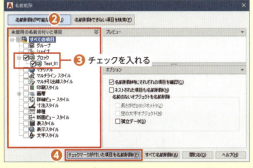

❸ チェックを入れる

「名前削除」ダイアログ

2.9 ツールパレットを使う

ツールパレットには次のような機能があります。
◆頻繁に使うブロックとハッチングをツールとして登録しておけば、これらをすばやく図面に挿入できる
◆頻繁に使う作成用ツール／コマンドを登録できる。このときプロパティも指定できる（本書の範囲を超えるので説明は省略します）

2.9.1 ツールパレットでブロックを配置する

ツールパレットの基本的な操作法から説明します。

 練習用データは「7days_2022」フォルダの中の「Day2」フォルダの中にある「Ex212.dwg」です。

❶ Ctrl + 3 キーを押すか、《表示》タブの【ツールパレット】ツールをクリックする

❷ ツールパレットの《建築》タブをクリックする
※《建築》タブが見当たらないときは、タイトルバーを右クリックしてメニューの［すべてのパレット］か［建築］をクリックします。

❸ ツールパレットの「自動車-メートル」をクリックしてから、図に示すあたりをクリックして配置する

❹ ❸で配置した自動車をクリックして選択する
※この自動車はダイナミックブロック（205ページ）です。

❺ ▽のグリップをクリックして表示されるリストで［スポーツカー（上面）］をクリックする

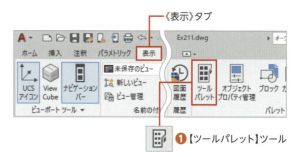

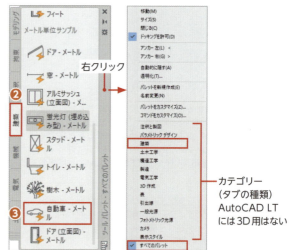

ツールパレット　　タイトルバーを右クリックすると表示されるメニュー

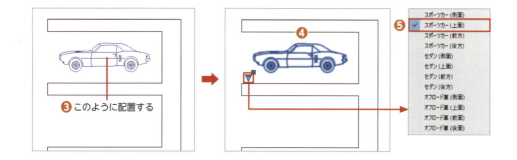

❻ 挿入基点のグリップをドラッグして移動し、位置を調整する

❼ [Esc]キーを押す(選択解除)

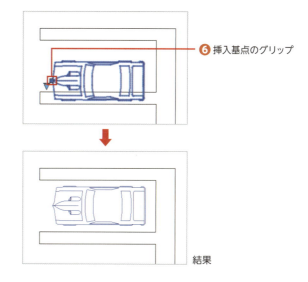

結果

2.9.2 ツールパレットでハッチング処理する

続いて歩道部にハッチングを施します。サンプルのハッチングパターンは尺度が小さいのでこれを調整してから使います。

❶ ツールパレットの《ハッチングと塗り潰し》タブをクリックする

❷ ツールパレットの[ISOハッチング]の「レンガ」(図参照)を右クリックし、メニューの[プロパティ]をクリックする

※「レンガ」が3つあり、ほぼ同じものですが方向あるいは色が違います。ここでは最上段の「レンガ」を使います。

❸「ツールプロパティ」ダイアログで、尺度を<20>倍に変えてから[OK]をクリックする

❹ ❸で尺度を設定した「レンガ」をクリックする

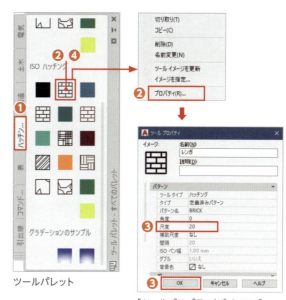

ツールパレット　　　「ツールプロパティ」ダイアログ

❺ 図に示すあたりをクリックする

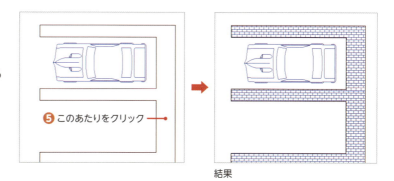

結果

2.9.2　ブロックをツールパレットに登録する

ツールパレットでサンプルデータを使うだけでは意味がありません。自分用のツールパレットを作って、はじめて役立ちます。ツールパレットにブロックを登録する方法を説明します。なおハッチングパターンの登録もほぼ同じ手順でできます。

練習用データは「7days_2022」フォルダの中の「Day2」フォルダの中にある「Ex213.dwg」です。

❶ ツールパレットのタイトルバーで右クリックし、メニューの[パレットを新規作成]をクリックする

❷ 新しいタブ(パレット)が作成されて名前の入力を求められるので、たとえば<MyBlock>を入力する

既存のブロックを使うときはDesignCenterが便利ですがファイルを探すのが少し面倒です。そこでよく使うブロックをツールパレットに登録しておきます。そうすればそれらのブロックを即座に使えるようになります。

DesignCenterにあるブロックをツールパレットに登録する方法は簡単で、単にドラッグ＆ドロップするだけです。

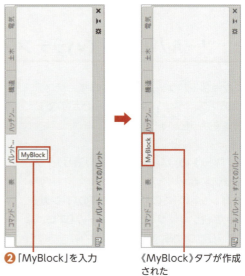

❷ 「MyBlock」を入力　　《MyBlock》タブが作成された

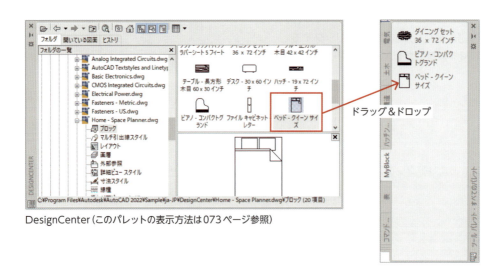

DesignCenter(このパレットの表示方法は073ページ参照)

3日目
図形を編集する

3日目の練習内容

3日目　図形を編集する【練習内容】

CADで図面を作成するとき「図形の作成」と「図形の編集」が主役になりますが、CADは「図形の編集」のときに威力を発揮します。このためCADをマスターするために「図形の編集」に習熟することが必須です。

3.1　平行図形を生成する

- 【オフセット】ツールで平行図形を生成する
- 【オフセット】ツールで同心円を生成する
- 通過点を指定して平行図形を生成する

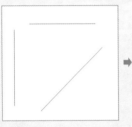

3.2　線を切り取る

- 【トリム】ツールで切り取りエッジを指定して切り取る
- 2つの切り取りエッジを指定して切り取る
- 【トリム】ツールの実用的な操作法
- フェンス選択で一気にトリムする

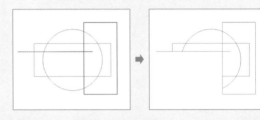

3.3　線を延長する

- 【延長】ツールで境界エッジを指定して延長する
- 【延長】ツールの実用的な操作法

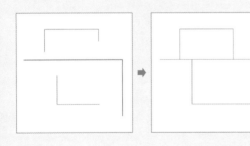

3.4　コーナー処理をする

- 端部を揃える
- フィレットを生成する
- 距離を指定して面取りする
- 角度と距離を指定して面取りする

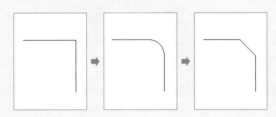

3.5　線の一部を削除する

- 【部分削除】ツールを使う

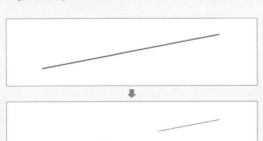

3.6　線を結合する

- 【結合】ツールを使う

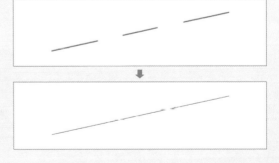

3.7 図形を移動する

- 2 点を指定して移動する
- 直接距離入力で移動する
- グリップ編集で移動する
- グリップ編集で複写する

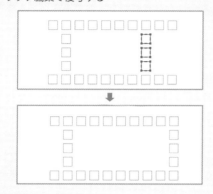

3.8 図形を複写する

- 基点と目的点を指定して複写する
- 直接距離入力で複写する

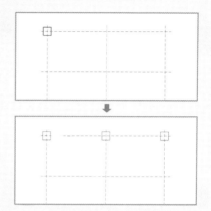

3.9 配列複写する

- 2 方向に配列複写する
- 1 方向に配列複写する
- 回転させながら配列複写する

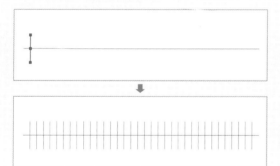

3.10 図形を回転する

- 極トラッキングで回転する
- 角度を指定して回転する
- ほかの図形に合わせて回転する

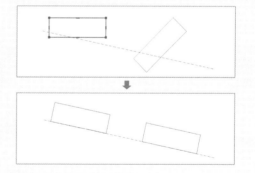

3.11 図形を鏡像にする

- 鏡像移動する／鏡像複写する

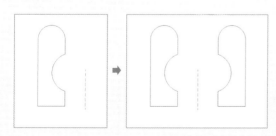

3.12 図形を変形する

- 図形を拡大／縮小する
- グリップ編集で線を変形する
- 【長さ変更】ツールで変形する
- 図形を伸ばす／縮める

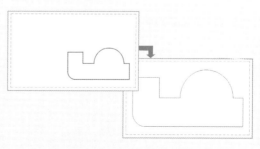

3.1 平行図形を生成する

平行図形とは平行線や同心円のことです。水平線や垂直線の平行線なら【複写】ツールでも生成できますが斜め線などの場合は無理です。このためAutoCADでは平行図形を【オフセット】ツールで生成します。

3.1.1 【オフセット】ツールで平行図形を生成する

平行図形を【オフセット】ツールで生成する方法です。

 練習用データは「7days_2022」フォルダの中の「Day3」フォルダの中にある「Ex301.dwg」です。

❶【オフセット】ツールをクリックする

❷ <500>mmを入力する（平行線の間隔）

❸ 直線Pをクリックしてから Pの右側をクリックする
❹ 直線Qをクリックしてから Qの上側をクリックする

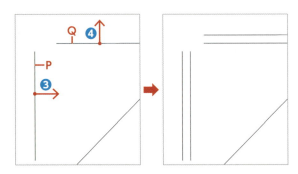

平行線の間隔を変えます。

❺ スペース キーを2回押す（ツール終了と再開）
❻ <1000>mmを入力する（平行線の間隔）

❼ 直線Rをクリックしてから Rの左上側をクリックする
❽ スペース キーを押す（ツール終了）

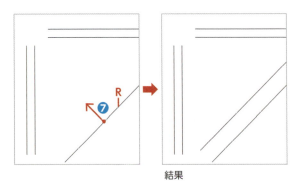

結果

3.1.2 【オフセット】ツールで同心円を生成する

引き続き「Ex301.dwg」で同心円の生成方法を説明します。

❶【オフセット】ツールをクリックする
❷＜**1500**＞mmを入力する（間隔）

❸円をクリックしてから円の内側をクリックする
❹ スペース キーを押す（ツール終了）

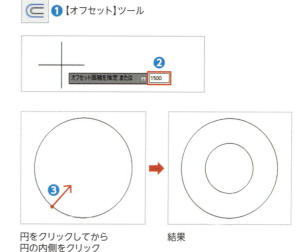

円をクリックしてから円の内側をクリック　　結果

3.1.3 通過点を指定して平行図形を生成する

間隔はわからないが通過させたい点があるという場合に平行図形を生成する方法です。

 練習用データは「7days_2022」フォルダの中の「Day3」フォルダの中にある「Ex302.dwg」です。

❶作図補助ツールの【オブジェクトスナップ】がオンになっているのを確認する
❷【オフセット】ツールをクリックする
❸＜**t**＞を入力する（通過点を使用）
❹P曲線をクリックする
❺A点（端点）をクリックする
❻ スペース キーを押す（ツール終了）

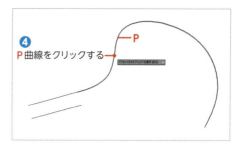

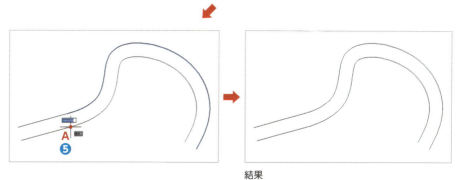

結果

3.2 線を切り取る

　線の編集の最初は切り取りです。図形の一部を切り取るには【トリム】ツールを用います。【トリム】ツールで切り取るとき基準になる図形を「切り取りエッジ」といいます。まず切り取りエッジとは何かを知るための練習をします。

3.2.1 【トリム】ツールで切り取りエッジを指定して切り取る

切り取りエッジを指定して切り取ります。

 練習用データは「7days_2022」フォルダの中の「Day3」フォルダの中にある「Ex303.dwg」です。

❶【トリム】ツールをクリックする
❷＜t＞を入力する（切り取りエッジあり）

❸ P 線をクリックする（切り取りエッジ）
❹ スペース キーを押す（切り取りエッジを確定）
❺ 不要部（●印）をクリックする（4カ所）
❻ スペース キーを押す（ツール終了）

> 「トリム：trim」の原意は「切り取る」「刈り込む」「整頓する」などです。犬の毛を刈る職を「トリマー：trimmer」といいますが、これを知っていると「トリム」という言葉を簡単に覚えられます。

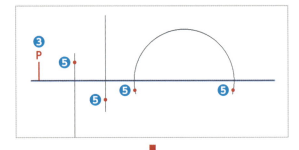

結果

3.2.2 2つの切り取りエッジを指定して切り取る

　切り取りエッジは2つ以上あってもかまいません。また線分だけでなく円やポリラインなど、たいていのタイプの図形を切り取りエッジとして使えます。

 練習用データは「7days_2022」フォルダの中の「Day3」フォルダの中にある「Ex304.dwg」です。

❶【トリム】ツールをクリックする
❷＜t＞を入力する（切り取りエッジあり）

❸ P 線と Q 長方形をクリックする（切り取りエッジ）
❹ スペース キーを押す（切り取りエッジを確定）
❺ 不要部（●印）をクリックする（2カ所）
❻ スペース キーを押す（ツール終了）

 ❶【トリム】ツール

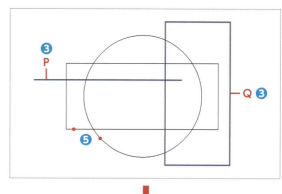

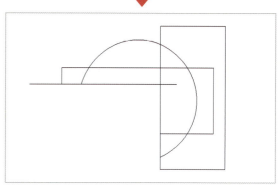
結果

3.2.3 【トリム】ツールの実用的な操作法

　【トリム】ツールのデフォルトのモードはすべての図形が切り取りエッジになるというモードです。切り取りエッジを指定するよりずっと実用的でしかも簡単です。

 練習用データは「7days_2022」フォルダの中の「Day3」フォルダの中にある「Ex305.dwg」です。

❶【トリム】ツールをクリックする
❷ 不要部（●印）をクリックする（10カ所）
❸ スペース キーを押す（ツール終了）

 ❶【トリム】ツール

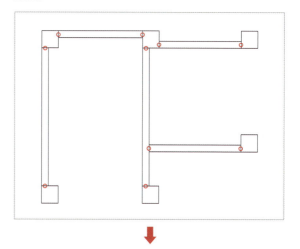

AutoCAD 2020まではすべての図形を切り取りエッジにするため、【トリム】ツールをクリックしたあと[スペース]キーを押しました。AutoCAD 2021以降は[スペース]キーを押す必要はありませんが、もし押したとしても支障がないように何も起きないようになっています。

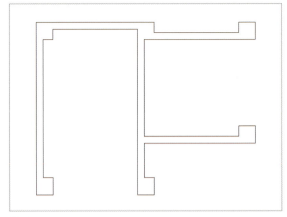
結果

3.2.4 フェンス選択で一気にトリムする

　AutoCADには複数のオブジェクトを選択するときに「フェンス選択」という便利な選択方法があります。フェンス選択は単にオブジェクトを選択するだけでなく、編集ツールたとえば【トリム】ツールの対象オブジェクトの指定でも使えます。

 練習用データは「7days_2022」フォルダの中の「Day3」フォルダの中にある「Ex306.dwg」です。

❶【トリム】ツールをクリックする
❷ A点（任意点）→ B点（任意点）をクリックする
※線分と交差する線が切り取られます。これを「交差フェンス」といいます。

❸ B点（任意点）→ C点（任意点）をクリックする
❹ [スペース]キーを押す（ツール終了）

　ここでは交差フェンスで切り取りましたが、A点→B点→C点を通過するようにドラッグしても同じ結果になります。これを「フリーハンド選択パス」といいます。

交差フェンスあるいはフリーハンド選択パスの操作をしているとき【オブジェクトスナップ】が自動的にオフになります。このためオブジェクトスナップを気にしないで操作できます。

 ❶【トリム】ツール

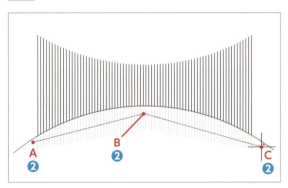

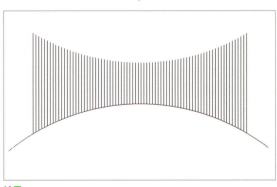
結果

3.3 線を延長する

前項では線を切り取りましたが、逆に線を基準線（「境界エッジ」という）まで伸ばせます。これに使うツールは【延長】ツールで【トリム】ツールの兄弟ツールです。

3.3.1 【延長】ツールで境界エッジを指定して延長する

【延長】ツールの境界エッジとは何かを知る練習から始めます。

 練習用データは「7days_2022」フォルダの中の「Day3」フォルダの中にある「Ex307.dwg」です。

❶【延長】ツールをクリックする
❷＜b＞を入力する（境界エッジあり）

❸P線とQ線をクリックする（境界エッジ）
❹ スペース キーを押す（境界エッジを確定）
❺ ●印をつけたあたりをクリックする（4カ所）
❻ スペース キーを押す（ツール終了）

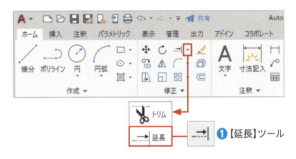

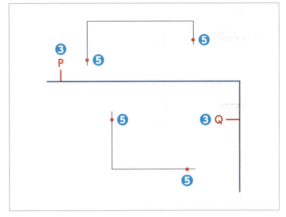

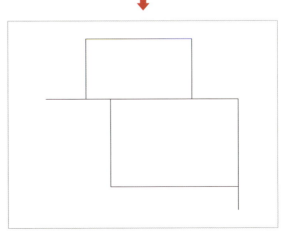

結果

3.3.2 【延長】ツールの実用的な操作法

　【延長】ツールの実用的な操作法です。【トリム】ツールと同じようにすべての図形が境界エッジになるモードです（クイックモード）。

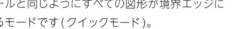 ❶【延長】ツール

> 練習用データは「7days_2022」フォルダの中の「Day3」フォルダの中にある「Ex308.dwg」です。

❶【延長】ツールをクリックする
❷ ●印をつけたあたりをクリックする（4ヵ所）

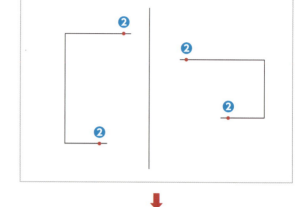

❸ Shift キーを押し、そのまま○印をつけたあたりをクリックする（3ヵ所）

【延長】ツールの使用中に Shift キーを押すと【トリム】ツールに変わります。逆に【トリム】ツールの使用中に Shift キーを押すと【延長】ツールに変わります。

❹ スペース キーを押す（ツール終了）

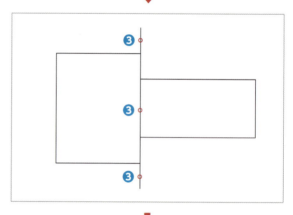

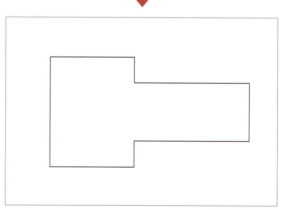

結果

3.4 コーナー処理をする

コーナー処理とは2本の線の端部を揃えたり、フィレット（丸面取り）や面取りを施すことです。

「フィレット（fillet）」の原意は熔接の「隅肉」のことです。なお「ヒレ肉」の「ヒレ」も"fillet"です。

端部を揃える

フィレット

面取り

3.4.1 端部を揃える

2本の線の端部をそろえるには【フィレット】ツールを用います。

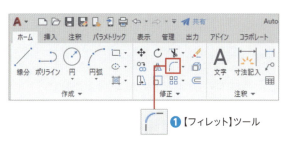

 練習用データは「7days_2022」フォルダの中の「Day3」フォルダの中にある「Ex309.dwg」です。

❶【フィレット】ツールをクリックする

❷ \<r\> を入力する（フィレットの半径）
❸ \<0\> mmを入力する（半径＝0mm）
❹ A1点とA2点のあたりをクリックする
❺ スペース キーを押す（ツール再開）
❻ B1点とB2点のあたりをクリックする

2本目の線を Shift キーを押しながらクリックすると、フィレット半径が0mmとみなされます。この方法を使うなら❷〜❸の操作、すなわちフィレット半径を0mmにする操作は不要です。

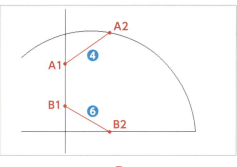

処理したいコーナーの数が多い場合は、❸と❹の間で\<m\>を入力する手順を追加すると連続して処理できます。ここでは、❸→「\<m\>を入力」→❹→❻となります。ツールを終了するには スペース キーを押します。

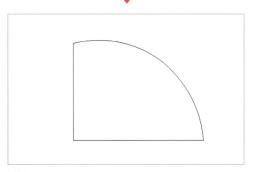

結果

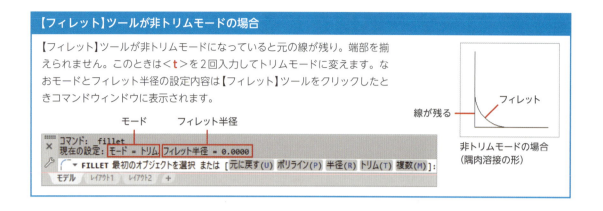

3.4.2 フィレットを生成する

2本の線の端部を円弧で結んで丸面取りの形にするのがフィレットです。前項のコラムように複数オプションを使えますが、ここでの例題は繰り返しが2回だけなので、スペースキーでツールを再開します。

 練習用データは「7days_2022」フォルダの中の「Day3」フォルダの中にある「Ex310.dwg」です。

❶【フィレット】ツールをクリックする

❷＜r＞を入力する（半径）
❸＜1000＞mmを入力する（半径＝1000mm）
❹A1点とA2点のあたりをクリックする
❺ スペース キーを押す（ツール再開）
❻B1点とB2点のあたりをクリックする

❼ スペース キーを押す（ツール再開）
❽＜p＞を入力する（ポリラインモード）
❾長方形（P）をクリックする
※長方形のオブジェクトタイプはポリラインです。

フィレット半径とはどこの部分を指すかを図示します。

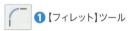 ❶【フィレット】ツール

結果

3.4.3 距離を指定して面取りする

　面取り（角面取り）は【面取り】ツールを用います。面取りのサイズの指定方法は2つの距離を指定する方法（距離モード）と、角度と距離を指定する方法（角度モード）があります。先に2つの距離を指定する方法から説明します。

 練習用データは「7days_2022」フォルダの中の「Day3」フォルダの中にある「Ex311.dwg」です。

❶【面取り】ツールをクリックする
❷ <d>を入力する（距離モード）
❸ <1000>mmを入力する（距離1）
❹ <2000>mmを入力する（距離2）
❺ A1点→A2点あたりをクリックする

結果

3.4.4 角度と距離を指定して面取りする

面取りのサイズを角度と距離で指定します。

 練習用データは「7days_2022」フォルダの中の「Day3」フォルダの中にある「Ex312.dwg」です。

❶【面取り】ツールをクリックする
❷ <a>を入力する（角度モード）
❸ <1500>mmを入力する（距離）
❹ <30>°を入力する（角度）
❺ A1点→A2点あたりをクリックする

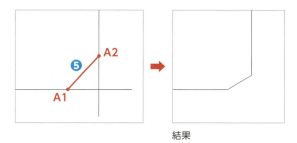

結果

面取りの距離と角度の意味を図示します。

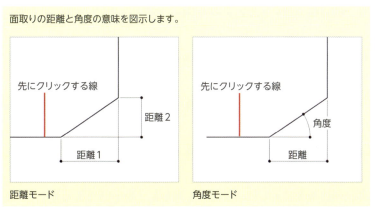

距離モード　　　角度モード

3.5 線の一部を削除する

線の一部を削除するには【トリム】ツール（086ページ）が便利ですが、【トリム】ツールは切り取りエッジが必要です。切り取りエッジ用の図形がないときには【部分削除】ツールを使います。
部分削除用ツールには、【点で部分削除】ツールと【部分削除】ツールの２つがあります。【点で部分削除】ツールは【部分削除】ツールのバリエーションですが、使い勝手があまりよくないので、ここでは【部分削除】ツールで練習をします。

3.5.1 【部分削除】ツールを使う

練習用データは「7days_2022」フォルダの中の「Day3」フォルダの中にある「Ex313.dwg」です。

❶ F3 キーを押して【オブジェクトスナップ】をオフにする
❷ ［修正］パネルの【部分削除】ツールをクリックする

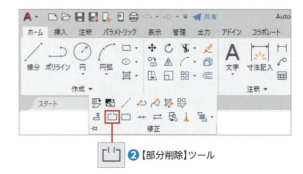

❸ 線分の A 点あたりをクリックする（図形の選択と１点目）

❹ 線分の B 点あたりをクリックする（２点目）
❺ 忘れないうちに F3 キーを押して【オブジェクトスナップ】をオンに戻す

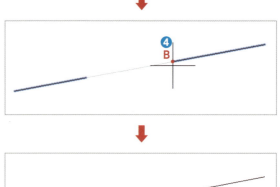

結果

3.6 線を結合する

なんらかの処理の結果、直線に隙間ができることがあります。あるいは直線を切断してしまうこともあります。単なる切断ならそのまま放置しても2D図面としてなら問題ありません。しかしそのあとの処理で手順が増たり、3Dにするときに支障が出たりします。そこで線を結合する方法を解説します。

3.6.1 【結合】ツールを使う

ここでは3本の線分を結合し、続いて2つの円弧を結合してから最後に円弧を円に変換します。

 練習用データは「7days_2022」フォルダの中の「Day3」フォルダの中にある「Ex314.dwg」です。

❶ [修正] パネルの【結合】ツールをクリックする

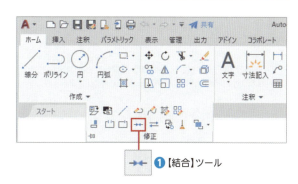

❷ 線分のP1、P2、P3をクリックして選択する
❸ スペース キーを押す（実行）

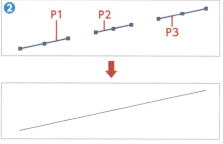

❹ スペース キーを押す（ツール再開）
❺ 円弧のQ1とQ2をクリックして選択する
❻ スペース キーを押す（実行）

2つの円弧を結合するときは、結合する部分を挟んで左回り（反時計回り）に円弧をクリックします。

❼ スペース キーを押す（ツール再開）
❽ 円弧のQ3をクリックして選択する
❾ スペース キーを押す（選択を確定）
❿ <l>（エル）を入力する（閉じる）

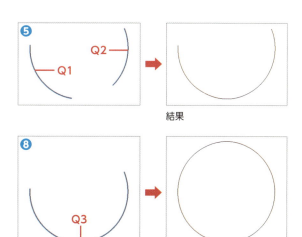

3.7 図形を移動する

CADの編集の代表は移動と複写です。移動と複写はとてもよく似た機能で、元の図形を動かしたとき、元図形がなくなるものを「移動」、元図形が残るものを「複写」といいます。まず「移動」から説明します。

図形を移動するには【移動】ツールを使うかグリップ編集機能を使いますが、【移動】ツールから説明します。

3.7.1 2点を指定して移動する

基点と目的点の2点を指定して移動させるのが移動の基本です。

 練習用データは「7days_2022」フォルダの中の「Day3」フォルダの中にある「Ex315.dwg」です。

❷【移動】ツール

❶ 図に示す3つの正方形を選択する
❷【移動】ツールをクリックする
❸ A点（端点）をクリックする（基点）
❹ B点（端点）をクリックする（目的点）

移動には「基点」と「目的点」を指定する必要があります。ここでは2点ともクリックして指定しましたが、片方あるいは両方の点を座標で指定してもかまいません。

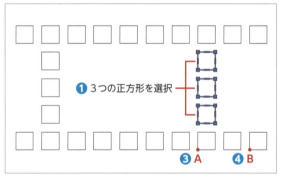
❶ 3つの正方形を選択
❸ A　❹ B

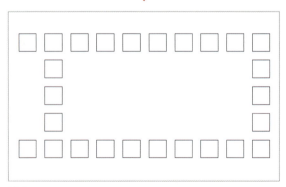
結果

3.7.2 直接距離入力で移動する

移動先までの距離と角度がわかっている場合は「直接距離入力」という方法を使います。この方法はステータスバーにある作図補助ツールの【極トラッキング】をオンにして操作します。建築製図では「直接距離入力」を使うケースが多いので、ぜひマスターしてください。

 練習用データは引き続き「7days_2022」フォルダの中の「Day3」フォルダの中にある「Ex315.dwg」です。

❶ 図に示す3つの正方形を選択する
❷【移動】ツールをクリックする

 ❷【移動】ツール

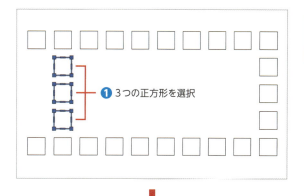
❶ 3つの正方形を選択

❸ 任意の位置（A点）をクリックする
❹ カーソルを A 点の左水平方向に動かしてから<1500>mmを入力する

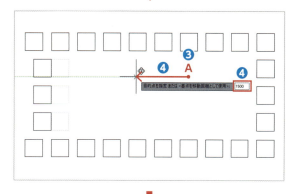

結果

3.7.3 グリップ編集で移動する

図形を選択したときに表示される■（グリップ）を直接操作して編集できます。これを「グリップ編集」と呼びます。とても便利な機能なのでぜひマスターしてください。

 練習用データは「7days_2022」フォルダの中の「Day3」フォルダの中にある「Ex316.dwg」です。

❶ 長方形と２つの円を選択する
❷ 任意のグリップを１つクリックする
❸ スペース キーを押す（移動モード）
❹ カーソルを真上方向に動かす
❺ <4000>mm を入力する
❻ Esc キーを押す（選択解除）

> 線分には３つのグリップ、円と楕円には５つのグリップがあります。線分の中央のグリップ、円／楕円の中心のグリップをクリックすると スペース キーを押さなくても移動できます。
> ただし複数の図形を選択している場合でも１つの図形しか移動できません。複数の図形を同時に移動したいときは スペース キーを押して（❸の操作）、移動モードにする必要があります。
> グリップ編集はダイレクトに図形を操作する感覚があり、ツールを使うよりも気持ちがよいので移動と複写に関してはグリップ編集のほうを筆者は好んで使っています。

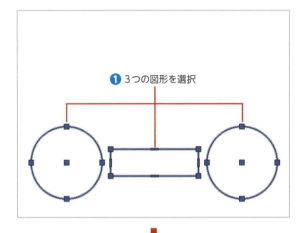

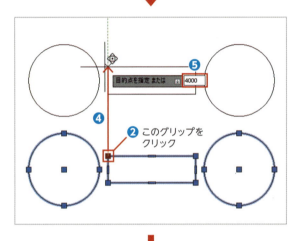

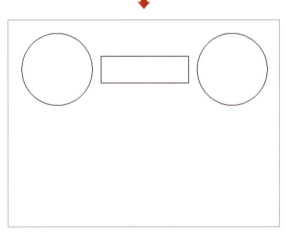

結果

3.7.4 グリップ編集で複写する

ここまで移動について説明してきましたが、ついでにグリップ編集での複写を説明します。

 練習用データは引き続き「7days_2022」フォルダの中の「Day3」フォルダの中にある「Ex316.dwg」です。

❶ 前項の操作で移動した長方形と2つの円を選択する
❷ 任意のグリップを1つクリックする
❸ スペース キーを押す（移動モード）
❹ <c> を入力する（複写）
❺ カーソルを真下方向に動かす
❻ <3500>mmを入力する
❼ Esc キーを2回押す（複写終了と選択解除）

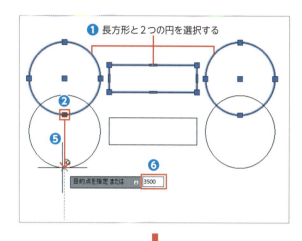

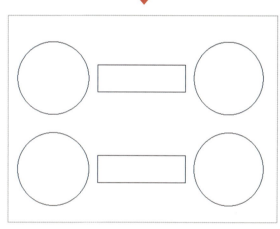

結果

グリップを1つでもクリックするとグリップ編集のストレッチモードに変わります。そのあと スペース キーを押すたびに次のようにモードが切り替わります。

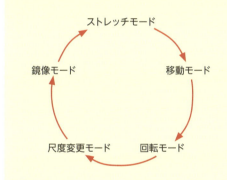

❹で入力して設定した複写オプション（<c>）は、回転複写や鏡像複写など各モードに共通して使えます。

3.8 図形を複写する

複写はコピーともいいます。複写は【複写】ツールを使う方法とグリップ編集による方法があり、どちらもよく使います。グリップ編集の複写はすでに説明したので（099ページ）、ここでは【複写】ツールで複写します。

3.8.1 基点と目的点を指定して複写する

練習用データは「7days_2022」フォルダの中の「Day3」フォルダの中にある「Ex317.dwg」です。

❶ 図に示す正方形を選択する
※この正方形は建築平面図での柱を想定しています。
❷【複写】ツールをクリックする

❸ A点（交点）をクリックする（基点）
❹ B点（交点）とC点（交点）をクリックする（目的点）
❺ スペース キーを押す（ツール終了）

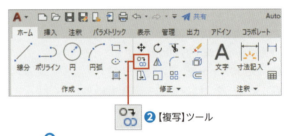

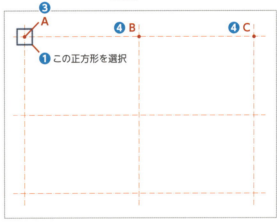

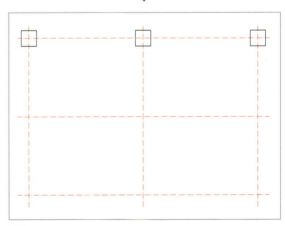

結果

3.8.2 直接距離入力で複写する

移動と同じように直接距離入力で複写できます。

❶ 図に示す3つの正方形を選択する

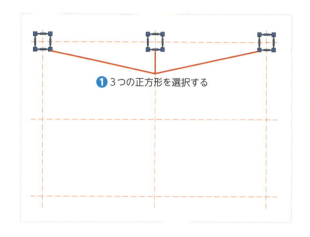

❶ 3つの正方形を選択する

❷【複写】ツールをクリックする

❷【複写】ツール

❸ 任意の位置(A点)をクリックする
❹ カーソルをA点の真下方向に動かしてから<**4000**>mmを入力する
❺ 続けて(カーソルは動かさない)<**8000**>mmを入力する
❻ スペース キーを押す(ツール終了)

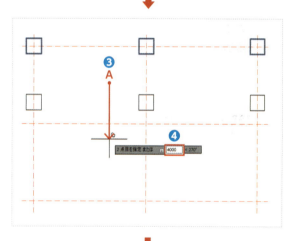

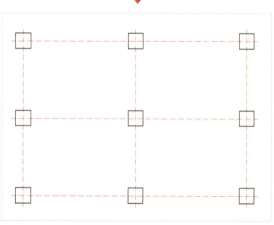

結果

3.9 配列複写する

1回の操作で複数の位置に図形を複写することをAutoCADでは「配列複写」と呼び、【矩形状配列複写】ツールで実行します。

3.9.1 2方向に配列複写する

タテ・ヨコの2方向に配列複写してみます。

 練習用データは「7days_2022」フォルダの中の「Day3」フォルダの中にある「Ex318.dwg」です。

❶左上にある正方形を選択する

❷【矩形状配列複写】ツールをクリックする

❸リボンに《配列複写作成》タブが表示されるので次のように各欄に数値を入力する
- ◆列=＜**5**＞
- ◆列の間隔=＜**7500**＞mm
- ◆行=＜**4**＞
- ◆行の間隔=＜**-6000**＞mm

❹ スペース キーを押す（ツール終了）

> 行と列には複写数をキーインします。この複写数には元図形を含むので＜1＞は複写しないことになります。

【矩形状配列複写】ツールによって「Ex318.dwg」の正方形は20個に増えます。この20個の正方形は1つのオブジェクトになりオブジェクトタイプは「配列複写（矩形状）」です。
「配列複写（矩形状）」オブジェクトはクリックするだけで編集画面に変わるのでとても便利です。
しかしばらばらの正方形（個別のオブジェクト）のほうが扱いやすい場合があります。そのときには「配列複写（矩形状）」オブジェクトを【分解】ツールでクリックします。これによりばらばらの正方形に変わります。

 【分解】ツール

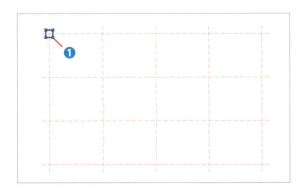

❷【矩形状配列複写】ツール

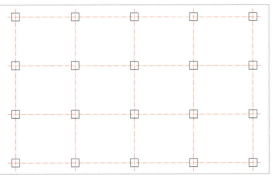

結果

3.9.2 1方向に配列複写する

図形を1方向に多数複写することを簡単な例で試してみます。

 練習用データは「7days_2022」フォルダの中の「Day3」フォルダの中にある「Ex319.dwg」です。

❶ 図に示す赤色の線分を選択する
❷【矩形状配列複写】ツールをクリックする

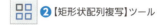
❷【矩形状配列複写】ツール

❸ リボンに《配列複写作成》タブが表示されるので次のように各欄に数値を入力する
- 列＝<34>
- 列の間隔＝<1000>mm
- 行＝<1>

❹ スペース キーを押す (ツール終了)

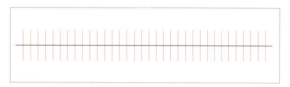

結果

【複写】ツールで配列複写する

あまり知られていませんが【複写】ツールでも1方向に配列複写できます。「Ex319.dwg」を使ってその手順を説明します。

 ❷【複写】ツール

❶ 図に示す赤色の線分を選択する
❷【複写】ツールをクリックする
❸ 任意の位置 (A点) をクリックする
❹ <a> を入力する (配列)
❺ <34> を入力する (配列数)
❻ A点の右水平方向にカーソルを動かす
❼ <1000>mmを入力する (距離)
❽ スペース キーを押す (ツール終了)

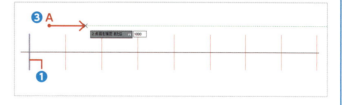

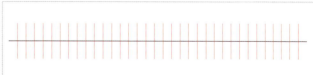

結果。【矩形状配列複写】ツールによる結果と似ているが、こちらは34本のばらばらの線分

3.9.3 回転させながら配列複写する

楕円を回転させながら円形に配列複写します。

 練習用データは「7days_2022」フォルダの中の「Day3」フォルダの中にある「Ex320.dwg」です。

❶ 楕円を選択する

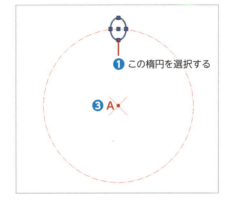

❷【円形状配列複写】ツールをクリックする
❸ A点(交点)をクリックする(回転の中心)

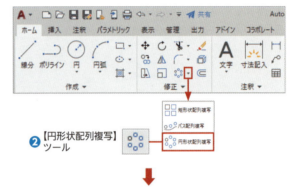

❹ リボンに《配列複写作成》タブが表示されるので[項目]の欄に<6>を入力する
❺ スペース キーを押す(ツール終了)

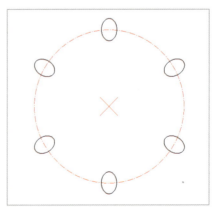

結果

3.10 図形を回転する

図形を回転させる方法は【回転】ツールを使う方法とグリップ編集による方法がありますが、【回転】ツールを使うのが普通です。【回転】ツールの使い方はケースによって異なりますので簡単なものから説明します。

3.10.1 極トラッキングで回転する

回転角が30°とか45°といった角度なら極トラッキングを使うのが簡単です。

練習用データは「7days_2022」フォルダの中の「Day3」フォルダの中にある「Ex321.dwg」です。

❶ 作図補助ツールの【極トラッキング】がオンになっていることを確認する
❷ ポリラインを選択する
❸【回転】ツールをクリックする

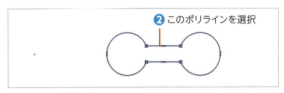

❹ A点（任意点）のあたりをクリックする（基点）
❺ カーソルを右上方向に動かし、トラッキングツールチップに「極：〇〇〇 >30°」と表示されたらクリックする

> トラッキングツールチップ「極：〇〇〇 < 30°」の「〇〇〇」は距離を表しますが、距離は回転に無関係なのでどんな数でもかまいません。また角度は水平線に対し左回り（反時計回り）に測った角度です。

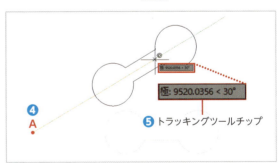

結果

3.10.2 角度を指定して回転する

　回転する角度がわかっている場合は角度を指定して回転させます。

練習用データは「7days_2022」フォルダの中の「Day3」フォルダの中にある「Ex321.dwg」で、前項で回転させたものとします。

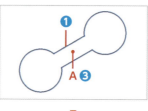

❷【回転】ツール

❶ポリラインを選択する
❷【回転】ツールをクリックする
❸ポリラインの中央あたり（A点）をクリックする（基点）
❹＜-30＞°を入力する

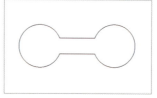

結果

3.10.3 ほかの図形に合わせて回転する

　回転する角度がわからないとき、ほかの図形の角度に合わせて回転する法を説明します。

練習用データは「7days_2022」フォルダの中の「Day3」フォルダの中にある「Ex322.dwg」です。

❷【回転】ツール

❶P長方形を選択する
❷【回転】ツールをクリックする
❸A点（交点）をクリックする（基点）
❹B点（中点）をクリックする

❺Q長方形を選択する
❻ スペース キーを押す（【回転】ツール再開）
❼C点（交点）をクリックする
❽＜r＞を入力する（参照）
❾C点（交点）→D点（端点）をクリックする
❿E点（端点）をクリックする

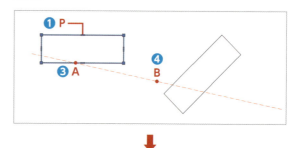

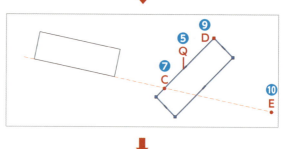

【回転】ツールで図形を回転させると元の図形は消えます。これを「回転移動」といいます。これに対し元の図形を残すことを「回転複写」といいます。【回転】ツールには回転複写モードがあります。回転複写モードにするは基点をクリックしてから＜c＞を入力するだけです。

回転複写の例

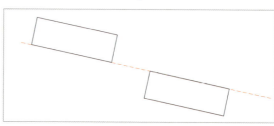

結果

3.11 図形を鏡像にする

「鏡像」は鏡に映したときのように図形を裏返しにする機能で「ミラー」とか「反転」と呼ぶこともあります。鏡像には鏡像移動と鏡像複写がありますが、使うツールは同じです。

3.11.1 鏡像移動する／鏡像複写する

【鏡像】ツールの使い方を説明します。

練習用データは「7days_2022」フォルダの中の「Day3」フォルダの中にある「Ex323.dwg」です。

❶ Pポリラインを選択する
❷【鏡像】ツールをクリックする

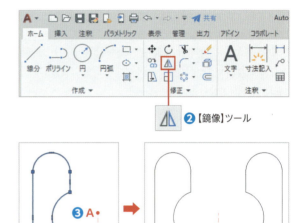

❸ A点(端点) → B点(端点)をクリックする
❹ スペース キーを押す(消去しない＝鏡像複写)

鏡像移動の結果

❺ Qポリラインを選択する
❻ スペース キーを押す(【鏡像】ツールを再開)

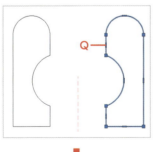

❼ C点(中点)をクリックしてからC点の左水平方向のD点(任意点)をクリックする
❽ ＜y＞を入力する(鏡像移動)

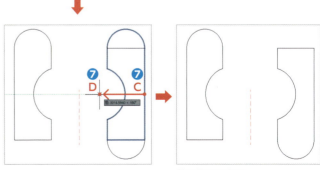

鏡像複写の結果

3.12 図形を変形する

図形のサイズ（大きさ）を変えたり形状を変えることを「変形」と呼びます。

3.12.1 図形を拡大／縮小する

図形をX方向、Y方向の両方向に同率で拡大／縮小する、すなわち相似変形するには【尺度変更】ツールを使います。

図形の拡大／縮小率は数値で指定します。たとえば＜2＞を指定すれば長さが2倍になります（面積は4倍になります）。

練習用データは「7days_2022」フォルダの中の「Day3」フォルダの中にある「Ex324.dwg」です。

❶ 図に示すポリラインを選択する
❷【尺度変更】ツールをクリックする
❸ A点をクリックする（基点）
❹ ＜1.8＞を入力する

❹で入力する数値が1を超える場合には拡大になり、1未満なら縮小になります。このとき分数でも指定できます（例：＜1/3＞）。ただし分子、分母の両方とも整数です。

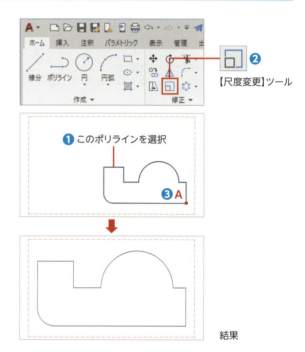

3.12.2 グリップ編集で線を変形する

描いた線の長さを変えたいという場合は意外に多いものです。そこで線の長さを変える方法を簡単なものから説明します。

水平／垂直線ならグリップ編集で線の長さを変えるのが一番簡単です。

練習用データは「7days_2022」フォルダの中の「Day3」フォルダの中にある「Ex325.dwg」です。

❶ 直線を選択する
❷ 右側のグリップをクリックする
❸ カーソルを右水平方向に動かす
❹ ＜4000＞mmを入力する
❺ Esc キーを押す（選択解除）

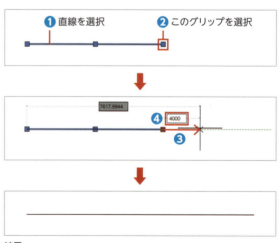

3.12 図形を変形する

円弧は[ストレッチ]か[長さ変更]を指定する

円弧のグリップにカーソルを合わせるとメニューが表示され、弧端点では[ストレッチ]か[長さ変更]、中点では[ストレッチ]か[半径]かを選択できます。メニューの表示中に↓キーを押すと項目を選択できます。そして変形中にCtrlキーを押すと弧端点なら[ストレッチ]か[長さ変更]かを切り替えられ、中点では[ストレッチ]か[半径]かを切り替えられます。

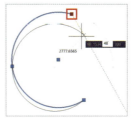
弧端点で[ストレッチ]

弧端点で[長さ変更]

メニューで[ストレッチ]か[長さ変更]([半径])を選択する

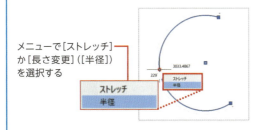

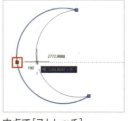
中点で[ストレッチ]

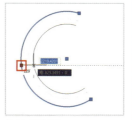
中点で[半径]

3.12.3 【長さ変更】ツールで変形する

1本の線分ならグリップ編集で変形しますが、たとえば建築平面図の通り芯線では【長さ変更】ツールで処理します。

 練習用データは「7days_2022」フォルダの中の「Day3」フォルダの中にある「Ex326.dwg」です。

❶[修正]パネルの【長さ変更】ツールをクリックする
❷<de>を入力する(増減)
❸<1000>mmを入力する
❹●印をつけたあたりをクリックする(10カ所)
❺ スペース キーを押す(ツール終了)

❶【長さ変更】ツール

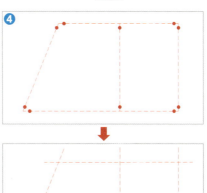

> ここでは10カ所でしたが、もっと増えて数10カ所になるとクリックすることがストレスになります。そんなときに使えるのが「交差フェンス」(088ページ)です。❹以下の操作を次のように変えます。
>
> ❹<f>を入力してから対象の線と交差する線を描くように2点をクリックする
> ❺❹を繰り返す
> ❻ スペース キーを押す(ツール終了)

結果

3.12.4 図形を伸ばす／縮める

　図形を拡大／縮小することを「スケーリング」と呼び【尺度変更】ツールを使いましたが、図形を部分的に引き伸ばしたり縮めたりする変形は「ストレッチ」と呼び【ストレッチ】ツールを使います。

 練習用データは「7days_2022」フォルダの中の「Day3」フォルダの中にある「Ex327.dwg」です。

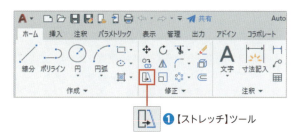

❶【ストレッチ】ツール

❶【ストレッチ】ツールをクリックする
❷ 図のように左方向に2点をクリックして交差選択する
❸ スペース キーを押して選択を確定する

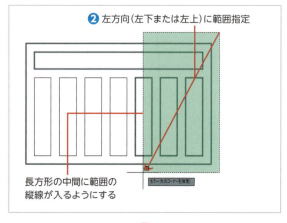

❷ 左方向（左下または左上）に範囲指定

長方形の中間に範囲の縦線が入るようにする

❹ 任意の位置（A点）をクリックする
❺ カーソルを右水平方向に動かしてから<3000>mmを入力する

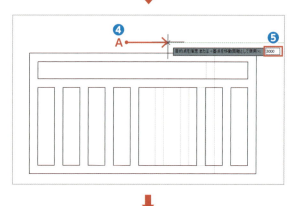

❹ A　　　　　　　　　　　　　❺ 3000

ストレッチ範囲に図形選択が含まれていればその図形は移動し、一部だけ含まれている図形は変形します。このことを図で説明します。

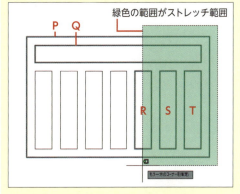

緑色の範囲がストレッチ範囲
P　Q
R　S　T

この例題には9つの長方形があります。S長方形とT長方形はストレッチ範囲に完全に含まれていますが、P、Q、Rの3つの長方形は一部しか含まれていません。この結果、P、Q、Rの3つの長方形が変形し、S長方形とT長方形が移動します。ほかの4つの長方形はストレッチ範囲の外にありますので変化しません。
このことはストレッチ範囲に含まれている頂点が移動し、ストレッチ範囲外の頂点は動かないと解釈すると理解しやすいです。

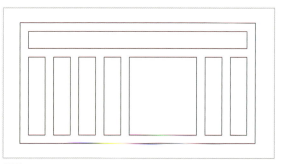

結果

4日目
応用操作

4日目の練習内容

4日目 応用操作【練習内容】

図形のプロパティ（色や線種、線の太さなど）、画層やオブジェクトスナップなど作図するときに必須の機能を紹介します。最初は何に役立つのかわからないかもしれませんが、AutoCADを仕事で使いだすと必須なのがわかります。

4.1 図形の色

- オブジェクトの色
- 《インデックスカラー》タブで色指定する
- 《TrueColor》タブで色指定する
- 《カラーブック》タブで色指定する

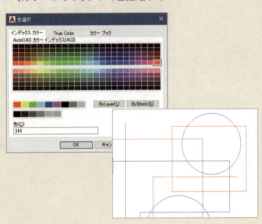

4.2 図形の線の太さ

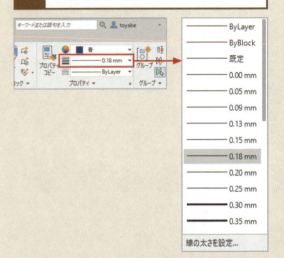

4.3 図形の線種

- 線種を準備する
- 線種を使う

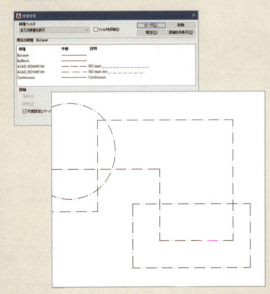

4.4 プロパティパレット

- プロパティパレットを呼び出す
- プロパティパレットの使い方

4.5 画層(レイヤ)

- 画層を作成する
- 画層を使う
- 画層の表示/非表示を切り替える
- 画層をフリーズ/フリーズ解除する
- 画層をロック/ロック解除する
- 全画層を表示する/現在画層のみ表示する
- 画層を削除する
- オブジェクトを別の画層に移動する
- オブジェクトが属する画層を知る
- オブジェクトを指定の画層に複写する

4.6 グリッドとスナップ

- グリッドを設定する
- グリッドとスナップを使う

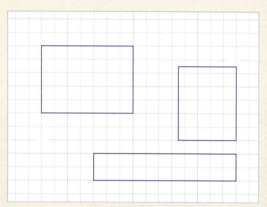

4.7 オブジェクトスナップ

- 定常オブジェクトスナップを設定する
- 定常オブジェクトスナップを使う
- オブジェクトスナップのスナップモード
- 一時オブジェクトスナップを使う
- オブジェクトスナップにない機能

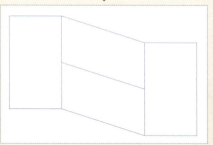

4.8 オブジェクト スナップ トラッキング

- オブジェクト スナップ トラッキングの使用例−①
- オブジェクト スナップ トラッキングの使用例−②
- オブジェクト スナップ トラッキングの使用例−③

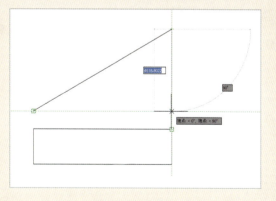

4.1　図形の色

　図形の色は図形のプロパティの1つです。プロパティ（property：資産・特質・特性）とは図形が持っている性質のことで、他のCADで「属性」と呼ばれているものです。プロパティの内容は大きく分けて2つあります。

◆ **一般のプロパティ**
　図形の色・線の太さ・線種・オブジェクトのタイプなど
◆ **ジオメトリのプロパティ**
　図形のサイズや位置など幾何学（＝geometry）的な内容

　ここではプロパティのうち一般のプロパティを説明します。AutoCADでは一般のプロパティを画層（レイヤ、122ページ）にあらかじめ設定しておき、作図中は画層だけ意識すればよいようになっています。しかし個々のプロパティについても知っておいたほうがよいので画層より前に説明します。

4.1.1　オブジェクトの色

　これから色の使い方を説明しますが、以下の例はAutoCADの色について理解するためのもので、図面を描くときの色を使う方法を説明するものではありません。図面を描くときは画層で色を設定するのが普通です（122ページ）。

❶[オブジェクトの色]

 練習用データは「7days_2022」フォルダの中の「Day4」フォルダの中にある「Ex401.dwg」です。

❶[プロパティ]パネルの[オブジェクトの色]で赤が設定されているのを確認する
❷作図ウィンドウに任意の図形を描く
※描いた図形の色は赤になります。
❸[オブジェクトの色]をクリックし、メニューで任意の色、たとえば青をクリックして選択する

> 色のメニューにある「ByLayer」は画層に設定した色を使うという意味で、普通はこれを使います（125ページのコラム）。

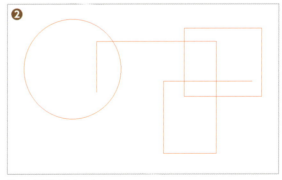
描いた図形が赤色になる

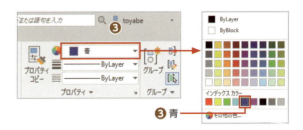
❸青

114

4.1 図形の色

❹ 作図ウィンドウに任意の図形を描く

既存の図形の色を変えるには、その図形を選択してから[プロパティ]パネルの[オブジェクトの色]で変更後の色をクリックします。あるいはプロパティパレットでも変えられます（120ページ）。

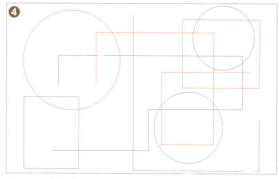

描いた図形が青色になる

4.1.2 《インデックスカラー》タブで色指定する

　AutoCADの標準色はインデックスカラーと呼ばれる255色ですが、この255色以外の色も使えます。まずインデックスカラーを指定する方法を説明します。
　前項と同じように色のメニューを表示します。

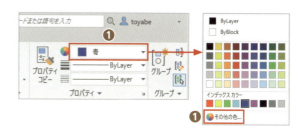

❶ [オブジェクトの色]をクリックし、メニューで[その他の色]をクリックする
❷ 「色選択」ダイアログで《インデックスカラー》タブをクリックする
❸ 使いたい色をクリックする
※ ❸、❹、❺の中から使いたい色をクリックして指定します。

　「色選択」ダイアログの《インデックスカラー》タブには255の色があります。それぞれの色には「ACI」（AutoCAD カラーインデックス）と呼ばれる番号（1〜255）が振られています。これによりACI番号がわかればどの色かがわかります。
　「色選択」ダイアログの見方を図示します。

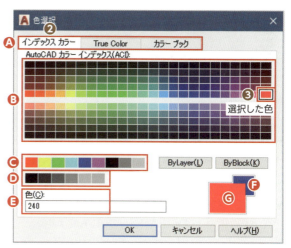

「色選択」ダイアログ
OK をクリックすると選択した色が現在の色になる

Ⓐ《インデックスカラー》タブを含む3つのタブがある
Ⓑ ACI＝10〜249の色
Ⓒ ACI＝1〜9の色
Ⓓ ACI＝250〜255の色
Ⓔ 選択中の色名あるいはACI番号
Ⓕ 現在の色
Ⓖ 選択した色

4.1.3 《True Color》タブで色指定する

「色選択」ダイアログには《インデックスカラー》タブのほかに、《True Color》タブと《カラーブック》タブがあります。

《True Color》タブではWindowsで使える約1670万色の中から選択できます。このタブではRGBモデル（三原色の赤・緑・青）かHSLモデル（色相・彩度・明度）のどちらかで色を指定できます。2つのモデルは Ⓐ［カラーモデル］をクリックし、メニューで選択して切り替えます。

> HSLモデルのダイアログの［色合い］は色相、［鮮やかさ］は彩度、［明るさ］は明度のことです。

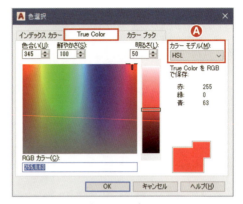

《True Color》タブのHSLモデル

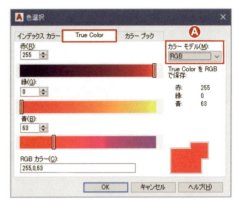

《True Color》タブのRGBモデル

4.1.4 《カラーブック》タブで色指定する

《カラーブック》タブでは画材店などで購入できるカラーブック（色見本帳）の色が並んでいます。「DIC」は日本のDIC社（旧・大日本インキ化学工業）、「PANTONE」はアメリカのPANTON社のカラーブックです。ほかにドイツの「RAL」と、日本の電子納品用の「SXF」のカラーブックもあります。

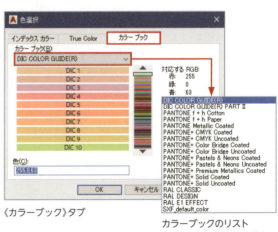

《カラーブック》タブ

カラーブックのリスト
各ブックに多数の色があるので全体では膨大な色数になる

4.2 図形の線の太さ

　読みやすい図面はメリハリの利いた図面です。このような図面は線の太さを意識し、4種類ほどの太さを使い分けてはじめて作成できます。これから線の太さの使い方を説明しますが、色と同じように図面を描くときの線の太さは画層で設定するのが普通です（122ページ）。

 練習用データは「7days_2022」フォルダの中の「Day4」フォルダの中にある「Ex401.dwg」です。

❶ [プロパティ]パネルの[線の太さ]をクリックする
❷ メニューで任意の太さ、たとえば[0.18mm]をクリックして選択する
❸ 作図ウィンドウに任意の図形を描く

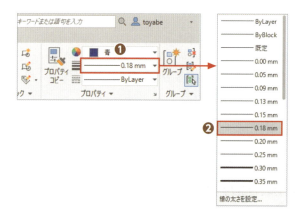

既存の図形の線の太さを変えるには、その図形を選択してから[プロパティ]パネルの[線の太さ]で変更後の太さをクリックします。あるいはプロパティパレットでも変えられます（120ページ）。

[線の太さ]をクリックすると表示されるメニューにある[ByLayer]は画層に設定した線の太さを使う場合で、普通はこれを使います（125ページのコラム）。「0.00mm」はラスタプロッタ／プリンタで出力できる一番細い線を意味します。また「既定（Default）」は1/10インチ（0.25mm）です。この「既定」の太さは「オプション」ダイアログの《基本設定》タブで変更できます。

筆者が使用している線の太さを参考用に記します。
◆ 極細線　　0.05mm
◆ 細線　　　0.09mm
◆ 中線　　　0.18mm
◆ 太線　　　0.25mm

線の太さを変えるとプリントした図面には反映されますが、画面には変化がありません。作図補助ツールの【線の太さを表示／非表示】をオンにすると太さ0.30mm以上の線は太く表示されますが、0.30mmは太すぎて図面に使うことはほとんどありません。
なおデフォルトでは、ステータスバーの作図補助ツールに【線の太さを表示／非表示】は表示されていません。これを表示させる方法は026ページを参照してください。
実際に線の太さを確認するには、レイアウト表示に切り替えます。細い線から太い線まできれいに表示されます（187ページ）。

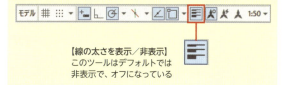

【線の太さを表示／非表示】
このツールはデフォルトでは
非表示で、オフになっている

AutoCADと線の色・太さ

昔のAutoCADは作成した図面をペンプロッタで出力するのが普通だったため、図形の色に黒（黒バックなら白）しか使わなかったものです。このため図形の画面上の色はプロッタのペン番号（すなわち線の太さ）を表すもので、図面の外観とは関係ないものでした。しかしラスタプロッタやカラープリンタが個人でも購入できる時代になり、図面をプレゼンテーションにも使うことが普通になってきました。このためAutoCADでは線の色と太さを切り離し、それぞれ独立したプロパティになっています。

4.3 図形の線種

線種とは実線・破線・一点鎖線などの線の種類のことです。ここでは線種の使い方を説明しますが、色と同じように図面を描くときの線種は画層で設定します（122ページ）。

4.3.1 線種を準備する

新規図面には実線（Continuous）しかありません。そこでほかの線種を用意します。線種は図面の縮尺が関連しますので、練習用データを開いてから練習します。

練習用データは「7days_2022」フォルダの中の「Day4」フォルダの中にある「Ex402.dwg」です。このデータはA3判、縮尺1/100に設定しています。

❶［プロパティ］パネルの［線種］をクリックする
❷メニューで［その他］をクリックする
❸「線種管理」ダイアログの ロード をクリックする

❹「線種のロードまたは再ロード」ダイアログで「ACAD_ISO02W100」（破線）をクリックして選択する
❺ Ctrl キーを押しながら「ACAD_ISO10W100」（一点鎖線）をクリックして選択する
❻ OK をクリックする

> 破線として「ACAD_ISO02W100」、一点鎖線として「ACAD_ISO10W100」をロードしました。「ACAD_ISO○○W100」はISO（国際標準化機構）の線種です。JIS建築製図通則（JIS Z 0150：1999）の線種はISOの線種と同じで、国土交通省の電子納品でも採用されています。

❼「線種管理」ダイアログで［詳細］が表示されていない場合は 詳細を表示 をクリックする
❽「グローバル線種尺度」に＜**100**＞をキーインする
❾ OK をクリックする

「線種管理」ダイアログ

「線種のロードまたは再ロード」ダイアログ

［詳細を表示／非表示］ボタン

［詳細］

「線種管理」ダイアログ

「Ex104.dwg」の縮尺が1/100なので「グローバル線種尺度」を「100」にしましたが、もっと細かい破線間隔にしたいときは100より小さい数、たとえば「50」にします。「グローバル線種尺度」は図面ファイルの全体に対する設定です。一部の線だけ尺度を変えたいときはプロパティパレットの[線種尺度]で変えられます（120ページ）。

グローバル線種尺度＝100

グローバル線種尺度＝50

4.3.2 線種を使う

引き続き「Ex104.dwg」を使用して線種を試してみます。以下の例はAutoCADの線種について理解するためのもので、図面を描くときに使う方法を説明したものではありません。図面を描くときの線種は画層で設定します（122ページ）。

❶ [プロパティ]パネルの[線種]をクリックする
❷ メニューで「ACAD_ISO10W100」（一点鎖線）をクリックして選択する
❸ 作図ウィンドウで任意の図形を描く

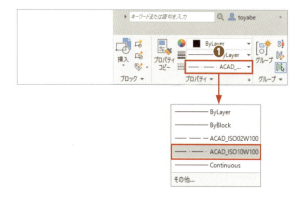

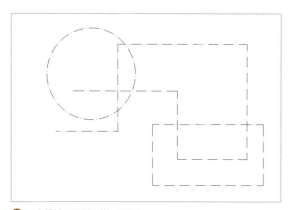

❸ 一点鎖線で図形を描いてみた

4.4 プロパティパレット

「プロパティパレット」は大変役立つ機能です。これを使えばオブジェクトのプロパティを簡単に変更できます。変えられるプロパティは色・線種・線の太さ・画層などで、オブジェクトタイプによっては図形のサイズや位置も変えられます。

4.4.1 プロパティパレットを呼び出す

プロパティパレットの呼び出し方法は、次の4方法があります。どの方法でも結果は同じです。

 練習用データは「7days_2022」フォルダの中の「Day4」フォルダの中にある「Ex402.dwg」です。

❶ [Ctrl]+[1]キーを押す(ショートカットキー)
❷ クイックアクセスツールバーの【プロパティ】をクリックする
※【プロパティ】を表示させる方法は下記コラムを参照してください。
❸ 図形を選択しているときに右クリックして表示されるメニューで[オブジェクトプロパティ管理]をクリックする
❹《表示》タブの[パレット]パネルの【オブジェクトプロパティ管理】ツールをクリックする

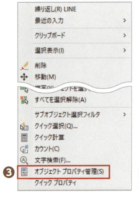

図形選択中の右クリックメニュー

> プロパティパレットを呼び出すコマンドの名前が【プロパティ】と【オブジェクトプロパティ管理】の2つありますが、どちらも同じコマンドです。本書は【プロパティ】と記します。なお英語版では【PROPERTIES】です。

《表示》タブ

❹【オブジェクトプロパティ管理】ツール

デフォルトではクイックアクセスツールバーに【プロパティ】が表示されていないので、次の操作で表示させてください。

❶ クイックアクセスツールバー右端の近くにある▼をクリックする
❷ メニューで[プロパティ]をクリックしてチェックをつける

4.4.2 プロパティパレットの使い方

プロパティパレットの使い方を図で示します。たとえば円を選択してから前項の方法でプロパティパレットを呼び出すと図のような内容になります。

この円を選択して呼び出したプロパティパレットが下図

1 [自動的に隠す]

プロパティパレットを表示させると閉じる操作をしないかぎり表示されたままになります。閉じるには普通は[閉じる]ボタンをクリックします。

[自動的に隠す]ボタンをクリックしてオンにすると使用しないときにタイトルバーだけが表示されます。そしてタイトルバーにカーソルを合わせるとプロパティパレットの中身が表示されます。画面が狭い(解像度が低い)ときには便利な機能です。

2 リストボックス

リストボックスには「円」と表示されます。円を2つ選択しているときは「円(2)」と表示され、円のほかに線分や長方形などタイプが異なる図形を選択しているときは「すべて(○)」(○は数)と表示されます。

4 プロパティの変更

図のように変更できる項目と変更できない項目があります。変更できる項目はその欄をクリックしてメニューで選択するか、数値なら新しい数値を入力すると変更できます。

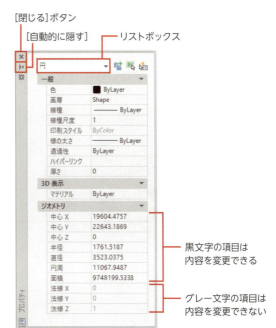

プロパティパレット
円を選択してプロパティパレットを呼び出したもの。表示される項目は図形のタイプによって異なる。タイプの異なる図形を選択している場合は共通の項目だけが表示される

プロパティパレット以外にプロパティを知る方法

プロパティパレットのほかにプロパティを知る方法が2つあります。1つ目は図形にカーソルを合わせて少し待つと表示される「ロールオーバーツールチップ」です。ここには図形の色・画層・線種などが表示されます。この表示/非表示は「オプション」ダイアログの《表示》タブで切り替えられます。
もう1つは図形をダブルクリックすると表示される[クイックプロパティ]パネルです。「ロールオーバーツールチップ」より詳しいプロパティが表示されます。

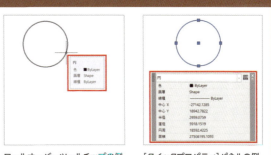

ロールオーバーツールチップの例　　[クイックプロパティ]パネルの例

4.5 画層（レイヤ）

　一般にCADで「レイヤ」と呼ばれている機能をAutoCADでは「画層」と呼んでいます。画層は透明なフイルムに例えられます。図面を何層ものフイルムを重ねたものとして捉え、たとえば基準線は基準線フイルム（画層）に、寸法は寸法フイルム（画層）に描きます。こうしておけば基準線を修正するときは基準線画層だけを表示させて作業できます。

　画層を意識しなくても図面を描けますが、修正のときに手間がかかるなど、CADのメリットのいくつかを使わないことになります。それにチームで設計するときにはほかのメンバーに迷惑をかけてしまいます。

　画層の勉強はたいしておもしろくないことですが、重要なのでしっかりと練習してください。

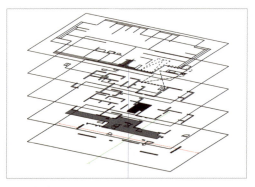
画層の概念図

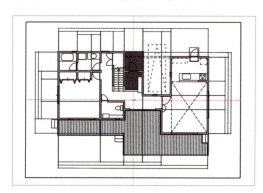
左図の概念図を真上から見たところ

4.5.1 画層を作成する

　画層を作成する練習をします。「Ex403.dwg」には図面枠しか描かれてませんが、線種（118ページ）に破線と一点鎖線が読み込まれています。

 練習用データは「7days_2022」フォルダの中の「Day4」フォルダの中にある「Ex403.dwg」です。

❶【画層プロパティ管理】ツールをクリックする
❷画層プロパティ管理パレットで［新規作成］ボタンをクリックする

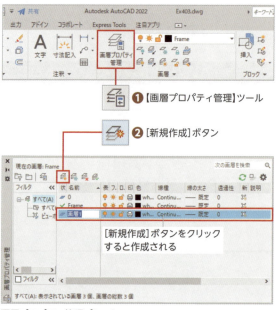
画層プロパティ管理パレット

4.5 画層（レイヤ）

❸画層が作成されるので名前を「Guide」に変える

❹「Guide」画層の[色]欄をクリックする
❺「色選択」ダイアログで赤を選択し、OK をクリックする

❻画層プロパティ管理パレットで、「Guide」画層の[線種]欄をクリックする
❼「線種を選択」ダイアログで「ACAD_ISO10W100」（一点鎖線）を選択し、OK をクリックする

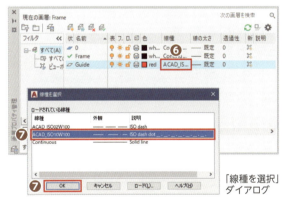

❽画層プロパティ管理パレットで、「Guide」画層の[線の太さ]欄をクリックする
❾「線の太さ」ダイアログで「0.09mm」を選択し、OK をクリックする

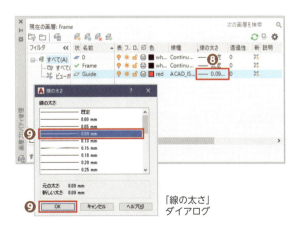

❿ ❷〜❾の操作を繰り返して次の画層を作る
- ◆名前=「Shape」
- ◆色=「青(blue)」
- ◆線種=「Continuous」(コンティニュアス。実線のこと)
- ◆線の太さ=「0.25mm」

⓫ 画層プロパティ管理パレットの[閉じる]ボタンをクリックする

❿「Shape」画層も作る

AutoCADは画層の名前にかな漢字が使えますし、255文字(半角換算)まで使えます。しかし描いた図面をデータ変換してほかのCADに渡す可能性があるなら、昔のAutoCADの画層名の制限に合わせておいたほうが安全です。次にその制限を記します。

- ◆かな漢字(2バイト文字)を使わない。すなわち半角(正確には1バイト文字)の英数字を使う
- ◆文字数は31文字まで
- ◆空白スペースを使わない
- ◆使える記号は「-(ハイフン)」、「$(ドル)」、「_(下線)」のみ

4.5.2 画層を使う

図面には多数の図形があります。これらの図形を整理・分類しながら入力しますが、この整理・分類に使うのが「画層」です。たとえば、基準線は「Guide」画層に描き、一般図形は「Shape」画層に描きます。

 練習用データは「7days_2022」フォルダの中の「Day4」フォルダの中にある「Ex404.dwg」です。

❶ [画層]をクリックして画層リストを表示し、「Guide」画層をクリックする

❶の操作をまとめて「Guide画層を現在画層にする」といいます。このように[画層]で選択した画層を「現在画層」といい、描いた図形はそのときの現在画層に含まれます。

❷ 数本の直線を描く

❸ [画層]をクリックして画層リストを表示し、「Shape」画層をクリックする

デフォルトの「0」画層は通常の画層として使ってかまいませんが、特別の役目(ブロック作成に使用、075ページ)もあるので空けておいたほうがベターです。
寸法を描くと寸法用画層とは別に、「Defpoints」画層が生成されます。この画層も空けておきます。

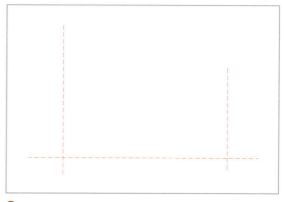

❷「Guide」画層に直線を描く

4.5 画層（レイヤ）

❹ 長方形をいくつか描く

図形の色や線種はプロパティパネルで個別に指定できますがこれは特殊な場合で、普通は「ByLayer」にします。「ByLayer」とは「画層プロパティ管理パレットでの各画層の設定に従う」という意味で、画層を作ったときに設定した内容（色・線種・線の太さ）です。

ここに「ByLayer」以外の文字があるのは特殊

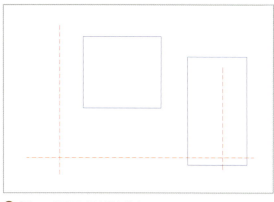
❹「Shape」画層に長方形を描く

4.5.3 画層の表示／非表示を切り替える

　画層を使う最大のメリットは画層ごとに「表示」と「表示なし」を切り替えられることです。図面作成／修正のとき対象部分を見やすくするために、画層のいくつかを「表示なし」に設定します。

　画層を「表示なし」に設定する方法には、「非表示」と「フリーズ」の2つがあります。この2つの違いは126ページのコラムで説明しますが、筆者は「フリーズ」を好んで使っています。

　ここでは「非表示」の方法を説明します。

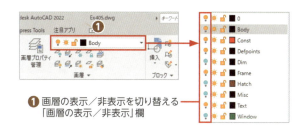
❶ 画層の表示／非表示を切り替える「画層の表示／非表示」欄

画層の表示／非表示は、画層ごとに「画層の表示／非表示」欄をクリックして切り替えます。

 練習用データは「7days_2022」フォルダの中の「Day4」フォルダの中にある「Ex405.dwg」です。

❶［画層］をクリックし、画層リストで次の4画層の「画層の表示／非表示」欄をクリックして非表示にする
　◆「Dim」画層
　◆「Hatch」画層
　◆「Misc」画層
　◆「Window」画層
❷ 作図ウィンドウの任意の位置でクリックする（リストを閉じる）

4画層を「非表示」

❸ 非表示を確認したら【全画層表示】ツールをクリックして元に戻す

【全画層表示】ツール

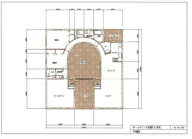
全画層を「表示」

4.5.4 画層をフリーズ／フリーズ解除する

前項で画層を「表示なし」にする「非表示」の方法を説明しました。ここではもう1つの「表示なし」にする方法、「フリーズ」について説明します。

「フリーズ (freeze)」の原意は「凍結する」ですがAutoCADでは「ないものとする」といった意味で使われています。ないものとしてもデータがなくなるわけではありません。

画層リストの「すべてのビューポートでフリーズまたはフリーズ解除」欄でフリーズ／フリーズ解除をコントロールします。そして画層をフリーズさせると「表示なし」になります。

❶「すべてのビューポートでフリーズ」欄

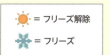

画層のフリーズ／フリーズ解除は、画層ごとに「すべてのビューポートでフリーズまたはフリーズ解除」欄をクリックして切り替えます。

☀ = フリーズ解除
❄ = フリーズ

 練習用データは「7days_2022」フォルダの中の「Day4」フォルダの中にある「Ex405.dwg」です。

❶ [画層]をクリックし、画層リストで次の画層の「すべてのビューポートでフリーズ」欄をクリックしてフリーズにする
  ◆「Dim」画層
  ◆「Hatch」画層
  ◆「Misc」画層
  ◆「Window」画層
❷ 作業ウィンドウの任意の位置でクリックする
❸ フリーズを確認したら【全画層フリーズ解除】ツールをクリックして元に戻す

4画層を「フリーズ」
前項の「画層の表示と非表示を切り替える」と同じ結果になる

【全画層フリーズ解除】ツール

全画層を「フリーズ解除」

「非表示」と「フリーズ」の違い

「非表示」と「フリーズ」はよく似ていますが次の点が違います。

◆ 【オブジェクト範囲ズーム】ツールを使った場合

「非表示」は【オブジェクト範囲ズーム】ツールにとってはオブジェクトがあるものとみなされますが、「フリーズ」はオブジェクトがないとみなされます。すなわち「フリーズ」なら【オブジェクト範囲ズーム】ツールが期待通りに働きます。

◆ Ctrl + A キー ([すべて選択]) を実行した場合

Ctrl + A キーを押すとすべてのオブジェクトを選択できます。このとき「フリーズ」画層のオブジェクトは選択されませんが、「非表示」画層のオブジェクトは選択されます。選択されれば編集でき、たとえば削除できるので危険です。

◆ ビューポートで実行した場合

「フリーズ」はビューポート (191ページ) ごとに設定できます。しかし「表示／非表示」は全ビューポートに対して同じく働きます。

4.5 画層（レイヤ）

4.5.5 画層をロック／ロック解除する

　ロックするとは錠をかけることです。画層をロックするとその画層にあるオブジェクトを編集できなくなります。すなわち削除や移動などができなくなるので、安心してほかの画層のオブジェクトを加工・修正できます。そしてロックした画層のオブジェクトでもオブジェクトスナップの対象になるので作図に支障がありません。

❷「ロック」欄

 練習用データは「7days_2022」フォルダの中の「Day4」フォルダの中にある「Ex405.dwg」です。

画層のロック／ロック解除は、画層ごとに「画層をロックまたはロック解除」欄をクリックして切り替えます。

❶ ［画層］をクリックし、画層リストで「Window」画層をロックする
※現在画層は「Body」画層のままです。
❷ 作図ウィンドウの任意の位置をクリックする
❸ 任意の建具（窓とドア）をクリックする

　「Window」画層に含まれている建具は、選択できますが編集／加工ができません。

> ロックした画層にあるオブジェクトを選択できますが編集、たとえば移動しようとするとコマンドウィンドウに「ロックされた画層上にあります」と表示され、編集できません。

❸ 任意の建具をクリック

ロック画層にあるオブジェクトにカーソルを近づけるとロックのマークが現れる

ロック画層にある図形を薄い色で表示する

画層をロックするとその画層にある図形は薄い色で表示されます。どのくらい薄くするかは、［画層］パネルの「ロック画層のフェード」で調整できます。

「ロック画層のフェード」は［画層］パネルにある

ロック画層なし

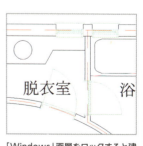
「Windows」画層をロックすると建具が薄く表示される（フェード＝50％）

4.5.6 全画層を表示する／現在画層のみ表示する

画層の表示機能でよく使うのが全画層を表示させることと、現在画層だけを表示させることです。

画層の数が少ないときは「画層」をクリックし、画層リストで「フリーズ」欄か「表示」欄で設定しますが、この方法は画層の数が多くなるほど面倒です。そこですばやく設定する方法を説明します。

練習用データは「7days_2022」フォルダの中の「Day4」フォルダの中にある「Ex405.dwg」です。

1 全画層を表示させる

いくつかの画層が非表示になっているとき、全画層を表示させます。表示なしの方法によって使うツールが違います。

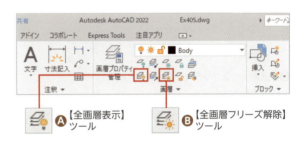

Ⓐ【全画層表示】ツール　Ⓑ【全画層フリーズ解除】ツール

◆「表示／非表示」で表示なし

「表示／非表示」で非表示にしている場合は、Ⓐ【全画層表示】ツールをクリックします。

◆「フリーズ」で表示なし

「フリーズ」で非表示にしている場合は、Ⓑ【全画層フリーズ解除】ツールをクリックします。

2 1つの画層だけを表示させる

現在画層だけを表示させるコマンドはありませんがもっと便利な【選択表示】ツールがあります。このツールをクリックしてからオブジェクトをクリック選択すると、そのオブジェクトが含まれる画層が現在画層になり、ほかの画層が非表示になります。

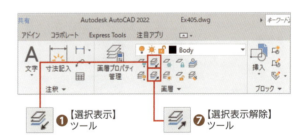

❶【選択表示】ツール　❼【選択表示解除】ツール

❶【選択表示】ツールをクリックする
❷<s>を入力する（設定）
❸<o>（オー）を入力する（非表示）
❹ スペース キーを押す（ペーパー空間でも非表示）
※次回は❷～❹の操作を省略できます。
❺任意のオブジェクト（図形、寸法、文字など）、たとえば壁の線（黒色）をクリックする
❻ スペース キーを押す（選択確定）

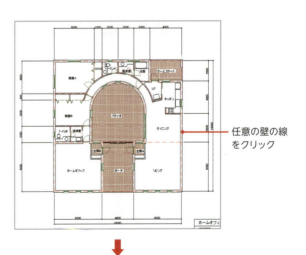

任意の壁の線をクリック

↓

4.5 画層（レイヤ）

壁の線のある「Body」画層だけ表示され、ほかの画層が非表示になります。

❼ 結果を確認したら【選択表示解除】ツールをクリックする

❼【選択表示解除】ツール

壁の線がある「Body」画層だけ表示される

4.5.7 画層を削除する

不要な画層を削除する方法を練習します。なおAutoCADでは次の画層は原則として削除できません。
◆ 現在画層
◆ オブジェクトのある画層
◆「0」画層
◆「Defpoints」画層
◆ 外部参照ファイルの画層（221ページ）

画層を削除するとき普通は【名前削除】コマンドを使うか、画層プロパティ管理パレットで削除します。ここでは【名前削除】コマンドで削除する方法を説明します。

練習用データは「7days_2022」フォルダの中の「Day4」フォルダの中にある「Ex406.dwg」です。「Ex406.dwg」には未使用の画層が2つあります。

「名前削除」ダイアログ

❶ アプリケーションメニューをクリックし、メニューの［図面ユーティリティ］→［名前削除］をクリックする
❷「名前削除」ダイアログの「画層」の「+」マークをクリックして展開する
❸ 削除可能な画層名が表示されるので、たとえば「Funiture」にチェックを入れる
❹ チェックマークが付いた項目を名前削除 をクリックする
❺ 確認メッセージが表示されるので応える
❻「名前削除」ダイアログの 閉じる をクリックする

リボンの［画層］パネルにある【画層削除】ツールを使うと、オブジェクトがある画層でも削除できますがこのツールの使用はお勧めできません。

4.5.8 オブジェクトを別の画層に移動する

　図面を描き進めるうちに、ある図形を別の画層に移動したいときがあります。画層移動するには「画層リスト」を使う方法と、プロパティパレット（120ページ）を使う方法がありますが、ここではより簡単な、「画層リスト」を使う方法を練習します。

　なお画層移動用に【オブジェクトを指定の画層に移動】ツールがありますが、このツールは使わなくてもよいので説明を省略します。

 練習用データは「7days_2022」フォルダの中の「Day4」フォルダの中にある「Ex406.dwg」です。

❶ 図に示す2つのハッチングをクリックして選択する

　ハッチングを選択するとリボンに《ハッチングエディタ》タブが表示されます。

❷《ホーム》タブをクリックして表示を戻す
❸ [画層]をクリックして移動先の画層、たとえば「Misc」画層をクリックする
❹ Esc キーを押す（選択を解除）

> 複数の図形を選択したとき、図形が同じ画層に属していれば、画層コントロールにその画層名が表示されます。図形が異なる画層に属しているときは空白になりますが、[画層]をクリックして移動先の画層をクリックすれば、選択されている図形すべてが指定した画層に移動します。

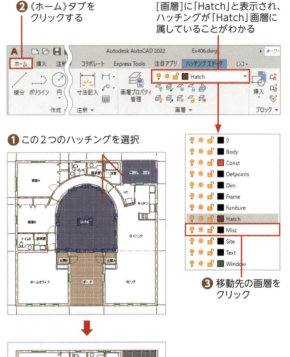

❷《ホーム》タブをクリックする

[画層]に「Hatch」と表示され、ハッチングが「Hatch」画層に属していることがわかる

❶ この2つのハッチングを選択

❸ 移動先の画層をクリック

2つのハッチングの色が変わり画層が変わったことがわかる

4.5.9 オブジェクトが属する画層を知る

　図面中のあるオブジェクトが属している画層を知りたいときは、そのオブジェクトにカーソルを近づけるだけで知ることができます。

❶ 画層を知りたいオブジェクトにカーソルを近づける
❷ ロールオーバーツールチップが表示されて属する画層がわかる

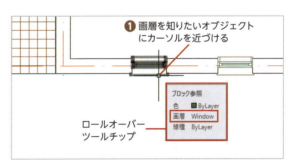

❶ 画層を知りたいオブジェクトにカーソルを近づける

ロールオーバーツールチップ

カーソルを近づけた窓が「Window」画層にあることがわかる

4.5.10 オブジェクトを指定の画層に複写する

オブジェクトを別の画層に複写したいときがあります。たとえば1階の平面図を描いたあと、2階の平面図を描くために1階のBody (躯体)を2階の画層に複写する場合です。この手順は少し面倒ですが説明します。

 練習用データは「7days_2022」フォルダの中の「Day4」フォルダの中にある「Ex406.dwg」です。

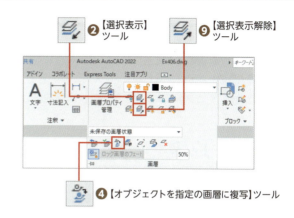

❶ 移動先の画層、たとえば「Body_2F」を作る
❷【選択表示】ツール (128ページ) を使って「Body」画層だけを表示させる
❸ 範囲指定で全オブジェクトを選択する
※ Ctrl + A キーによる【すべて選択】は不可。
❹ [画層] パネルの【オブジェクトを指定の画層に複写】ツールをクリックする
❺ <n> を入力する (名前)
❻「画層にコピー」ダイアログで「Body_2F」をクリックしてから OK をクリックする
❼ A点 (任意の端点) をクリックする (基点)
❽ A点をクリックする (目的点)
❾【選択表示解除】ツール (128ページ) を使ってほかの画層を表示させる

以上で「Body」画層が「Body_2F」画層の同位置に複写されました。結果は「Body」画層をフリーズするとわかります。フリーズしても壁の線が表示されて画面に変化はありません。

[画層] パネルにはほかにも【直前】ツールや【画層合成】ツールなど画層用ツールがありますが、使用することはまれなので説明を省略します。

「画層にコピー」ダイアログ

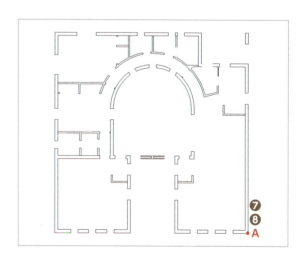

4.6 グリッドとスナップ

グリッドは方眼紙のように画面に線／ドット（点）を表示し図形を描きやすくするものです。
　AutoCADの「スナップ」はグリッドスナップのことで、一般のスナップは「オブジェクトスナップ」と呼んでいます。オブジェクトスナップに関しては次項で詳しく説明します。

4.6.1 グリッドを設定する

グリッドの設定方法から説明します。

　練習用データは「7days_2022」フォルダの中の「Day4」フォルダの中にある「Ex407.dwg」です。

❶ 作図補助ツールの【作図グリッドを表示】を右クリックし、[グリッドの設定]をクリックする
❷「作図補助設定」ダイアログの《スナップとグリッド》タブで、「スナップX間隔」に<455>mmをキーインする
❸「グリッドX間隔」に<910>mmをキーインする
※自動的に「スナップY間隔」が<455>mm、「グリッドY間隔」が<910>mmになります。
❹ OK をクリックする

> スナップ間隔はカーソルが引き寄せられる点の間隔で、これに対しグリッド間隔は画面に表示する線の間隔です。スナップ間隔とグリッド間隔は同じ値にするか、グリッド間隔をスナップ間隔の整数倍にします。

> 「アダプティブグリッド」にチェックを入れると、画面の縮小／拡大に応じて表示するグリッド線の数が変わります。ここではグリッド線を910mm間隔に設定していますが縮小表示にすると1820mm間隔、2730mm間隔と間引きされて表示されます。これでは使いにくいので本書は「アダプティブグリッド」のチェックを外します。

> スナップのタイプの「アイソメスナップ」はアイソメ図を描くときに使います。「PolarSnap（極スナップ）」は[極トラッキング]と併用し、たとえば30°方向、500mm間隔にヒットさせたいといった場合に使います。

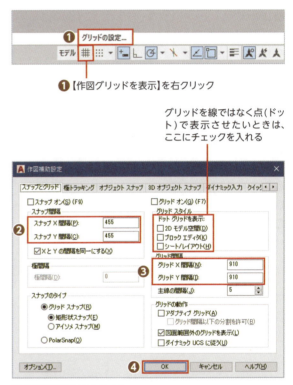

❶【作図グリッドを表示】を右クリック

グリッドを線ではなく点（ドット）で表示させたいときは、ここにチェックを入れる

「作図補助設定」ダイアログ

4.6.2 グリッドとスナップを使う

グリッドとスナップを使って長方形を描いてみます。練習用データは「Ex407.dwg」で、前項の設定を終えた状態で練習します。

❶ 作図補助ツールの【作図グリッドを表示】と【スナップモード】をオンにする

❷【長方形】ツールで長方形をいくつか描く

長方形を描くときカーソルがグリッドおよびグリッドの中間点に引っ張られますが、これがスナップの働きです。長方形のサイズ（タテとヨコ）はスナップ間隔（ここでは455mm）の整数倍になっています。

> 作図補助ツールの【スナップモード】はグリッドに対するスナップのオン／オフの切り替えのスイッチ、【作図グリッドを表示】はグリッドを画面に表示するか否かのスイッチです。この２つのボタンは互いに独立しており、たとえば【作図グリッドを表示】をオフにしていても【スナップモード】をオンにできます。

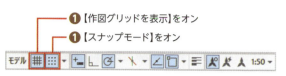

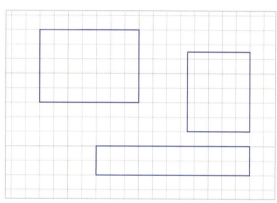

長方形をいくつか描く

4.7 オブジェクトスナップ

　AutoCADのスナップの本命は「オブジェクトスナップ」です。
　CADで正確な製図をするためには「正確な位置」に「正確なサイズ」で図形を描かなければなりません。この「正確な位置」に使うのが「作図グリッドにスナップ」と「オブジェクトスナップ」です。「正確なサイズ」にも2つのスナップが役立ちますが数値入力のほうが主役です。
　オブジェクトスナップには「定常オブジェクトスナップ」と「一時オブジェクトスナップ」の2種類があります。そして普通は「定常オブジェクトスナップ」を使いますので、この「定常オブジェクトスナップ」から説明します。

4.7.1 定常オブジェクトスナップを設定する

　定常オブジェクトスナップは作図補助ツールの【オブジェクトスナップ】でオン／オフします。オブジェクトスナップの設定は027ページで説明していますのでここでは確認だけします。

練習用データは「7days_2022」フォルダの中の「Day4」フォルダの中にある「Ex408.dwg」です。

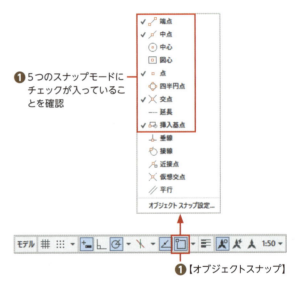

❶作図補助ツールの【オブジェクトスナップ】を右クリックし、メニューで設定内容を確認する

4.7.2 定常オブジェクトスナップを使う

　前項で設定した定常オブジェクトスナップを実際に使ってみます。練習用データは「Ex408.dwg」をそのまま使用します。

❶作図補助ツールの【作図グリッドを表示】と【スナップモード】をオフにする
❷作図補助ツールの【オブジェクトスナップ】がオンになっているのを確認する
❸【線分】ツールをクリックする

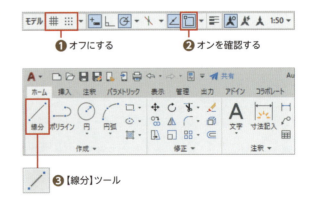

4.7 オブジェクトスナップ

❹A点にカーソルを近づけて端点のマーカー□
が表示されたらクリックする
❺同じようにB点(端点)をクリックする

❻ スペース キーを2回押す(ツールの終了と再開)
❼C点にカーソルを近づけて中点のマーカー△
が表示されたらクリックする
❽同じようにD点(中点)をクリックする

❾ スペース キーを2回押す
❿E点(端点)→F点(端点)をクリックする
⓫ スペース キーを押す(ツール終了)

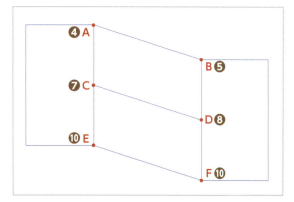

「端点」は線の端の点、「中点」は中央の点です。すなわち端点・中点は線を指定すれば特定できます。このため線にカーソルを近づければ、端点と中点の近いほうにヒットします。すなわち対象の点にカーソルを近づける必要はありません。

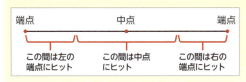

カーソルを図形に近づけると△マークや□マークが表示されて対象点を見つけたことを知らせてくれます。このマークを「マーカー」と呼びます。マーカーの形はスナップモードにより異なります。どのような形かは「作図補助設定」ダイアログ(027ページ)の《オブジェクトスナップ》タブを見るとわかります。

4.7.3 オブジェクトスナップのスナップモード

オブジェクトスナップの各モードの対象になる点を図で示します。いずれも●印をつけた点がオブジェクトスナップの対象点です。なお「図芯」「仮想交点」「平行」は使うことはほとんどないので説明を省略します。

1 端点
端点モードは線分の端点、弧端点、ポリラインの頂点が対象の点です。

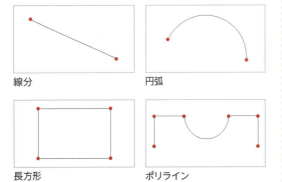

2 中点
中点モードの対象は端点間の中央の点です。

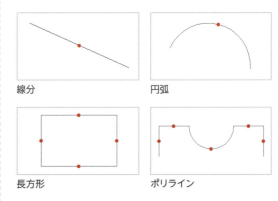

3 中心
中心は円、円弧、楕円の中心です。長方形やポリゴン（正多角形）の中心にはヒットしません。

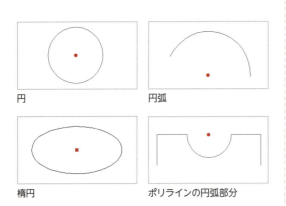

4 点
点スナップモードの対象は、点一般ということではなく、【複数点】ツール（069ページ）で描いた点オブジェクトです。

点オブジェクト

5 四半円点
四半円（しはんえん）点モードは、円なら中心から見て0°、90°、180°、270°の方向の点が対象です。

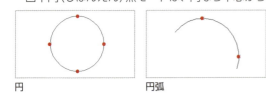
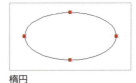
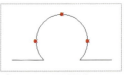

6 交点

交点モードは線と線の交わる点が対象で、数多くのケースが考えられます。図はごく一部の例です。

線分と線分

円弧と円弧

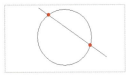
円と線分

スプラインと線分

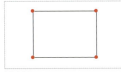
長方形

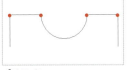
ポリライン

7 延長

延長モードは直線／円弧の延長線上の点と延長線どうしの交点にヒットします。

使い方は端点にカーソルを合わせ、カーソルを動かすと延長線（線分または円弧）が一時的に表示され、その延長線上の点を指定できます。

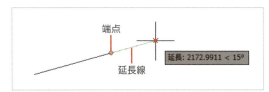
線分の延長線上点

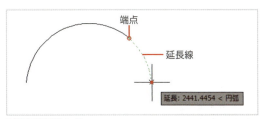
円弧の延長線上点

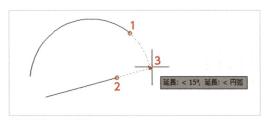
延長線どうしの交点
番号順にカーソルを動かす（1と2はクリックではない）

8 挿入基点

挿入基点とはブロックの挿入基点と文字の基点のことです。

ブロック

文字

9 垂線

垂線スナップモードの対象点は、ある点からその図形に垂線を下ろしたときの点です。

垂線スナップモードでは逆に図形側から垂線を描くこともできます。下右図は【線分】ツールで円弧側から垂線を描いているところです。

線分に対する垂線

円弧に対する垂線

円弧にカーソルを合わせると「暫定垂線」と表示される。ここでクリックする

カーソルを動かすとそれにつれて垂線がついてくる。任意の位置でクリックする

⑩ 接線

接線モードは、ある点から接線を描いたときの接点が対象の点で、相手の図形は円、円弧、スプライン、楕円です。

また図形側から接線を描けます。ただしこのときの図形は円と円弧で、スプラインと楕円に対しては接線で描けません。

接線モードを使うと接円も描けます。

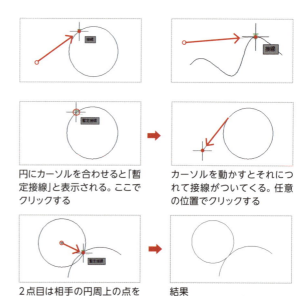

円にカーソルを合わせると「暫定接線」と表示される。ここでクリックする　　カーソルを動かすとそれにつれて接線がついてくる。任意の位置でクリックする

2点目は相手の円周上の点をクリックする　　結果

⑪ 近接点

近接点スナップモードは図形にカーソルを近づけたとき最も近い点、すなわちカーソルからその図形に垂線を下ろしたときの点が対象点になります。このため図形上のすべての点（無限個ある）が対象となります。ほかのCADで「線上点」と呼ばれるスナップと同じ意味です。

線上点のすべてが対象点（無限個ある）

4.7.4 一時オブジェクトスナップを使う

一時オブジェクトスナップは、作図中に Shift キーを押しながら右クリックしたときに表示されるメニューで指定します。

定常オブジェクトスナップがオンになっていれば作図や編集のときにオブジェクトスナップが常に有効です。これに対し一時オブジェクトスナップは1回のみ有効で、次のような場合に用います。
◆【オブジェクトスナップ】がオンになっているものの、設定していないスナップモードを使いたいとき。
◆【オブジェクトスナップ】がオンになっているものの、設定しているモードのうち1つのモードだけ使いたいとき。これはたくさんのスナップモードを設定していて、対象点が多すぎる場

作図中に Shift +右クリックのメニュー

所で作図するときです。なお一時オブジェクトスナップの使用中は【オブジェクトスナップ】が無効になります。

◆【オブジェクトスナップ】にない機能を使うとき。【オブジェクトスナップ】にないスナップモードは、【一時トラッキング点】【基点設定】【2点間中点】です。

> 一時オブジェクトスナップのメニューは Shift キーを押しながら右クリックしますが、Shift キーの代わりに Ctrl キーを押しても結果は同じです。

4.7.5 オブジェクトスナップにない機能

これから一時オブジェクトスナップのうち【オブジェクトスナップ】にない機能について説明します。先頭に【一時トラッキング点】コマンドがありますがこのコマンドの機能を含むもっと便利な【オブジェクト スナップ トラッキング】(141ページ)があるので説明を省略し、【基点設定】コマンドから説明します。

❶【基点設定】コマンド

【基点設定】コマンドの使い方の例として基準線の交点に長方形(3000×2000)の中心を合わせて描きます。

 練習用データは「7days_2022」フォルダの中の「Day4」フォルダの中にある「Ex409.dwg」です。

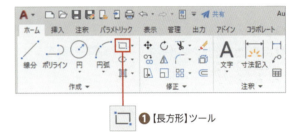

❶【長方形】ツール

❶【長方形】ツールをクリックする

❷ 作図ウィンドウ内で Shift キー＋右クリックし、メニューの[基点設定]をクリックする

❸ A点(中点)をクリックする

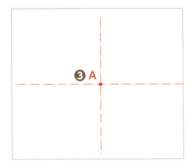

❹ <@-1500,-1000>mmを入力する(長方形の1点目)

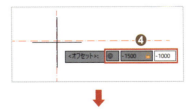

> 作図補助ツールの【ダイナミック入力】がオンになっているので通常は相対座標の「@」を省略できますが、❹の【基点設定】コマンドのオフセットの指定では省略できません。なお❺での長方形の2点目としての入力では「@」を省略できます(省略しなくてもよいです)。

❺ <3000,2000>mmを入力する（長方形の2点目）

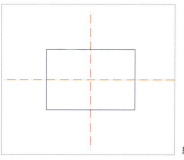
結果

❷【2点間中点】コマンド

【2点間中点】コマンドは意外と使う場面が多いコマンドです。例として長方形の中心に円を描いてみます。

 練習用データは「7days_2022」フォルダの中の「Day4」フォルダの中にある「Ex410.dwg」です。

❶【円】ツールをクリックする
❷ Shift ＋右クリックメニューの［2点間中点］をクリックする

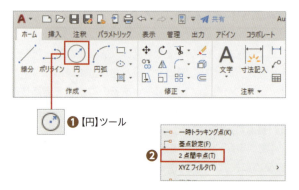

❸ A点（端点）→ B点（端点）をクリックする（C点（中心）を確定）
❹ D点（辺の中点）をクリックして円を描く

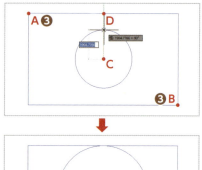

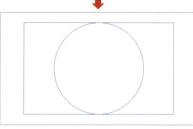
結果

❸【XYZ フィルタ】コマンド

【XYZ フィルタ】コマンドは、点を指定するときにX座標あるいはY座標（またはZ座標）を固定するコマンドで、主に3Dで使います。

❹【解除】コマンド

【解除】コマンドは【オブジェクトスナップ】を一時的に無効にするツールです。しかし【オブジェクトスナップ】は F3 キーでオン／オフできますので、【解除】ツールの出番はあまりありません。

❺【定常オブジェクト スナップ設定】ツール

【定常オブジェクトスナップ設定】ツールをクリックすると「作図補助設定」ダイアログが開きます。このツールは、作図補助ツールの【オブジェクトスナップ】の右クリックメニューにある［オブジェクトスナップ設定］と同じものです。どちらを使っても同じ結果になります。

4.8 オブジェクト スナップ トラッキング

オブジェクト スナップ トラッキングは慣れるまでとっつきにくい機能ですが、その有用性に気づけばこれほど便利な機能はないと思えるようになります。【基点設定】コマンド（139ページ）に似た機能ですが【基点設定】コマンドよりスマートな機能なのでぜひ使い方をマスターしてください。

4.8.1 オブジェクト スナップ トラッキングの使用例－①

これからオブジェクト スナップ トラッキングを利用して長方形の真上に直角三角形を描きます。

 練習用データは「7days_2022」フォルダの中の「Day4」フォルダの中にある「Ex411.dwg」です。

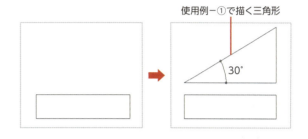

❶ 作図補助ツールの【ダイナミック入力】【極トラッキング】【オブジェクト スナップ トラッキング】【オブジェクトスナップ】がオンになっているのを確認する

【オブジェクト スナップ トラッキング】

❷【線分】ツールをクリックする

❷【線分】ツール

❸ A点（端点）にカーソルを合わせてしばらく待つ
（「端点」と表示されるまで）

※ A点ではクリックしないでカーソルを合わせるだけです。以降「○点にカーソルを合わせてしばらく待つ」という操作では、クリックはしません。

❹ A点の真上方向にカーソルを動かしてから＜1000＞mmを入力する（B点を確定）

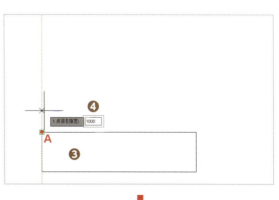

❺ C点(端点)にカーソルを合わせてしばらく待つ
❻ C点の真上方向にカーソルを動かし「極 < 30°、端点 < 90°」と表示される位置でクリックする（D点を確定）

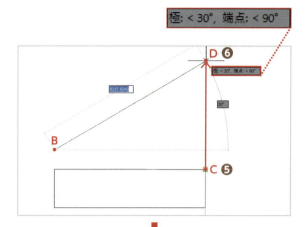

❼ B点(端点)にカーソルを合わせてしばらく待つ
❽ B点の右水平方向にカーソルを動かし、C点の真上(「端点 < 0°、極 < 270°」と表示される位置)でクリックする(E点を確定)
❾ B点をクリックする
❿ スペース キーを押す(ツール終了)

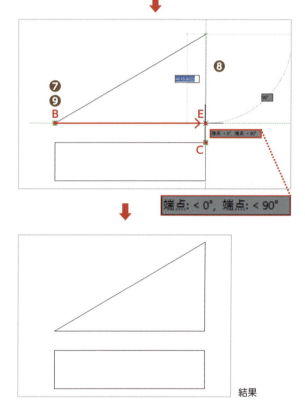

結果

4.8.2 オブジェクト スナップ トラッキングの使用例－②

長方形の中心に半径3mの円を描きます。

練習用データは「7days_2022」フォルダの中の「Day4」フォルダの中にある「Ex412.dwg」です。

❶【円】ツールをクリックする

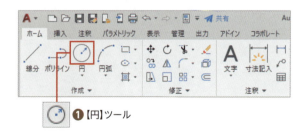

❶【円】ツール

❷**A**点(中点)近くにカーソルを合わせてしばらく待つ(「中点」と表示されるまで)
❸**B**点(中点)近くにカーソルを合わせてしばらく待つ(「中点」と表示されるまで)
❹カーソルを長方形の中心あたりに動かし、「中点 ＜ 0°、中点 ＜ 270°」と表示される位置でクリックする(**C**点を確定)
❺＜**3000**＞mmを入力する(半径)

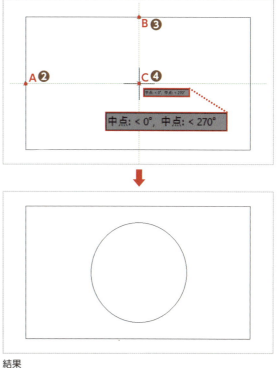

結果

4.8.3 オブジェクト スナップ トラッキングの使用例-③

　オブジェクト スナップ トラッキングの本格的な使用例を紹介します。
　これから平面図で壁の3カ所に穴を開け、建具ブロックを配置します。オブジェクト スナップ トラッキングは穴の位置を指定するときだけに使いますが、ブロックの配置まで説明します。

 練習用データは「7days_2022」フォルダの中の「Day4」フォルダの中にある「Ex413.dwg」です。

■ ㋐の穴の線を描く
最初に㋐の穴の端の線を描きます。

❶「Body」画層をフリーズする
※現在画層は「Wall」画層です。
❷【線分】ツールをクリックする

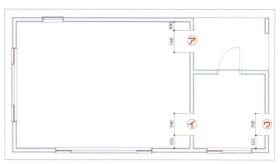

これから㋐、㋑、㋒の3カ所に穴を開け、建具を配置する

❷【線分】ツール

❸ A点（端点）にカーソルを合わせてしばらく待つ（端点と表示されるまで）
❹ カーソルを真下方向に少し動かしてから＜300＞を入力してB点を確定する
❺ カーソルをB点の右水平方向にカーソルを動かしてから＜150＞を入力してP線を描く（壁厚＝150mm）
❻ スペース キーを押す（ツール終了）

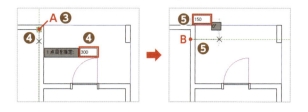

❼【オフセット】ツールをクリックする
❽ ＜760＞mmを入力する（間隔）

❾ P線をクリックしてから下方の任意点をクリックする
❿ スペース キーを押す（ツール終了）

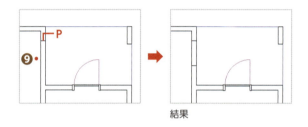

結果

2 ㋑と㋒の穴の線を描く
㋑と㋒の穴の線も前項と同じように描けますが、ここでは㋐の穴の線を複写することにします。オブジェクト スナップ トラッキングは複写でも使います。

❶ 前項で描いた㋐の穴の線を選択する（2本）
❷【複写】ツールをクリックする

❸ A点（端点）をクリックする（基点）
❹ B点（端点）にカーソルを合わせてしばらく待つ（端点と表示されるまで）
❺ 真上方向にカーソルを動かしてから＜455＞を入力する（2点目）
❻ スペース キーを押す（ツール終了）

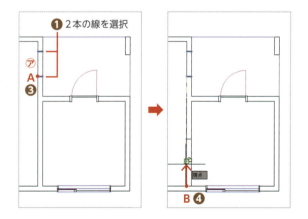

144

❼ ❺で複写した㋑の穴の線を選択する（2本）
❽【複写】ツールをクリックする
❾ B点（端点）をクリックする（基点）
❿ C点（端点）をクリックする（2点目）
⓫ スペース キーを押す（ツール終了）

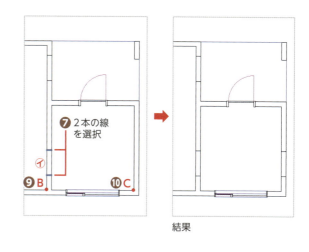

3 穴を開ける

穴の両側の線が描けたので穴を開けます。穴は【トリム】ツールで開けます。

❶「Body」画層をフリーズ解除する
❷【トリム】ツールをクリックする

❸ 図のようにA点（任意点）→B点（任意点）をクリックして交差フェンスで選択する（4本）
※多くの線を選択するなら、交差フェンスが簡単です。
❹ C点（任意点）→D点（任意点）をクリックして交差フェンスで選択する（8本）
❺ スペース キーを押す（ツール終了）

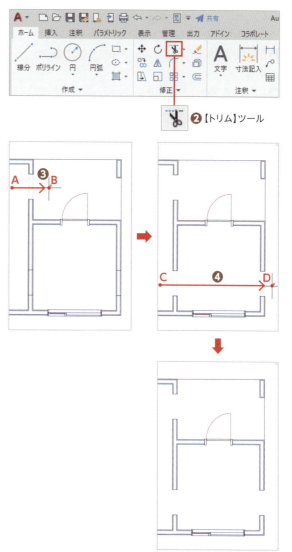

■4 建具ブロックを配置する

壁の穴に建具ブロックを配置します。

❶「Body」画層をフリーズする
※現在画層は「Wall」画層のままです。
❷【ブロック挿入】ツールをクリックし、リストで「AW-07」をクリックする

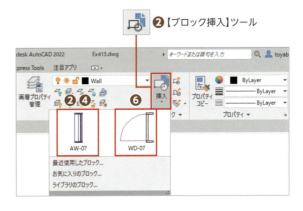

❸ A点（端点）をクリックして「AW-07」を配置する
❹【ブロック挿入】ツールをクリックし、リストで「AW-07」をクリックする
❺ B点（端点）をクリックして「AW-07」を配置する
❻【ブロック挿入】ツールをクリックし、リストで「WD-07」をクリックする
❼ C点（端点）をクリックして「WD-07」を配置する

❽「Body」画層をフリーズ解除する

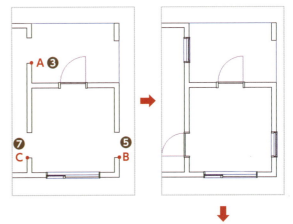

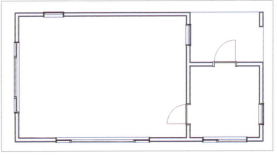

結果

5日目
文字と寸法

5日目の練習内容

5日目　文字と寸法【練習内容】

図形を描いただけでは図面になりません。文字と寸法を記入してはじめて図面になります。本章はAutoCADの文字と寸法の各機能を説明します。

文字と寸法は図面に情報を付加するオブジェクトです。このようなオブジェクトをAutoCADでは「注釈」と呼びます。注釈にはほかにハッチング、引き出し線、表などがあります。注釈オブジェクトは「異尺度」に対応します。「異尺度」とは異なる縮尺が混在することですが単一の縮尺でも重要な意味があるので本章で説明します。

5.1　文字

- フォントについて
- 文字スタイルを作成する
- 文字を記入する
- 文字列を修正する
- 【マルチテキスト】ツールを使う
- マルチテキストオブジェクトを修正する

5.2　寸法

- 寸法スタイルを設定する
- 寸法用ツールを準備する
- 【長さ寸法記入】ツールと【直列寸法記入】ツールで寸法を記入する
- 斜め方向の寸法を記入する
- 半径寸法を記入する
- 角度寸法を記入する
- 寸法スタイルを変える
- 円を用いた角度寸法を記入する

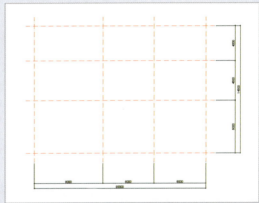

5.3　異尺度対応オブジェクト

- 縮尺を設定する
- 文字の異尺度対応
- レイアウトで確認する
- 寸法の異尺度対応

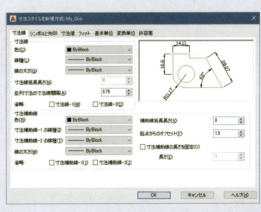

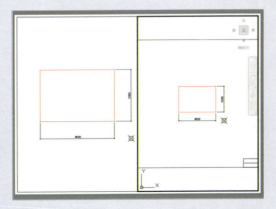

5.1 文字

AutoCADでは文字を書く前に「文字スタイル」を設定しなければなりません。文字スタイルの内容はフォント・文字のサイズ・角度などですが、普通はフォントだけを指定します。そして文字のサイズは文字を記入するときに指定します。

5.1.1 フォントについて

文字スタイルの設定の前にフォントの説明をします。AutoCADで使えるフォントは次の2種類です。
- TrueType フォント
- スティックフォント

TrueTypeフォントはWindowsで使う高品質のフォントのことでCADでも使います。

スティックフォントは別名ベクターフォントとか単線フォントと呼ばれるAutoCAD特有のフォントでペンプロッタで使用します。

TrueTypeフォント

スティックフォント

> 最近のプロッタはラスタープロッタ（インクジェットプロッタ・サーマルプロッタ・LEDプロッタ・レーザプロッタなど）で、ペンプロッタは過去のものになりました。プリンタやラスタープロッタでもスティックフォントを出力できますが、スティックフォントは低品質なのでまれにしか使われません。

5.1.2 文字スタイルを作成する

TrueTypeフォントを用いた文字スタイルを設定して、実際に文字を書いてみます。

文字スタイルの設定手順を説明します。

例としてTrueTypeフォントの「MS P明朝」を使うスタイルを作ります。

> 練習用データは「7days_2022」フォルダの中の「Day5」フォルダの中にある「Ex501.dwg」で、A4判・縮尺 1/50 に設定しています。

> AutoCADは文字や寸法あるいは印刷といった複数の選択肢（パラメータ）を持つ項目に「スタイル」という設定方法を導入しています。ビギナーはなぜこんな面倒なことをするのかと不思議に思うかもしれませんが、慣れてくると頼りになる仕組みとわかってきます。特に多人数のチームで製図を行うときにスタイルが役立ちます。

❶ [注釈]パネルの【文字スタイル管理】ツールをクリックする

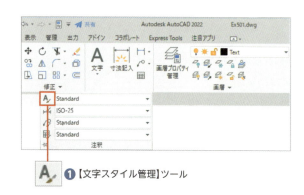

 ❶【文字スタイル管理】ツール

❷「文字スタイル管理」ダイアログで 新規作成 を
クリックする
❸「新しい文字スタイル」ダイアログで［スタイル
名］に、たとえば＜My_Text＞とキーインし
て OK をクリックする
❹［フォント名］で使用したいフォント、たとえば
「MS P明朝」を選択する
❺［異尺度対応］にチェックを入れる
※異尺度対応機能については167ページで解説します。
❻［用紙上の文字の高さ］が「0.0000」になっている
のを確認する
※文字の高さは文字の記入時に決めます。
❼［スタイル］のリストで「My_Text」を選択し、
現在に設定 をクリックする
❽確認メッセージで はい をクリックする
❾ 閉じる をクリックする

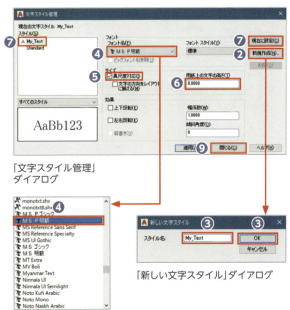

「文字スタイル管理」ダイアログ

「新しい文字スタイル」ダイアログ

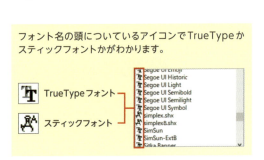

フォント名の頭についているアイコンでTrueTypeか
スティックフォントかがわかります。

TrueTypeフォント
スティックフォント

フォント名を選択するときキーボードの M キーを押すと「MS
P明朝」を探しやすくなります。このときかな漢字入力ではなく
直接入力にしておきます。

フォント名に「＠」がついているフォントは縦書き用フォントで、
建築図面に使うことはめったにありません。

先頭に「＠」がつくフォ
ントは使わない

5.1.3 文字を記入する

　新しい文字スタイルができたので文字を記入
してみます。

 練習用データは引き続き「Ex501.dwg」で、前項の
文字スタイルを作成済みのものとします。

❶【文字記入】ツールをクリックする

❷作図ウィンドウの中央あたりをクリックする
❸＜4＞mmを入力する（文字の高さ）
※文字の高さは、「文字スタイル管理」ダイアログでチェッ
クを入れた［異尺度対応］と密接な関係があります。異
尺度対応機能については166ページで説明します。

❹ Enter キーを押す（文字列の角度＝0）

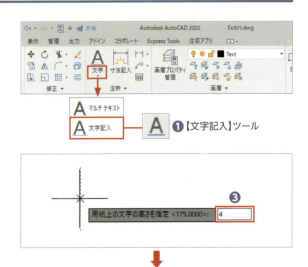

❺ ＜南立面図　S＝1/50＞を入力する

※「入力」とは「キーイン」＋ Enter キーです。

❻ Enter キーを押す（ツール終了）

❺ キーイン中

結果

【文字入力】ツールは別名【単一テキスト】ツールと呼びます。これは2行以上の文字オブジェクトを作成できないためです。
文字列を Enter キーを押して入力しますが、このときあたかも改行したように次の行に文字カーソルが出ます。しかしこれは改行でなく、次の文字オブジェクトの入力をうながすものです。そのためほかの場所をクリックすれば文字カーソルはその位置に移動します。

文字列をキーインしないで Enter キーを押すと【文字入力】ツールが終了します。

ここでは文字列入力に【マルチテキスト】ツールではなく【文字入力】ツールを使います。この理由は【文字入力】ツールはシンプルなツールで、建築図面にたとえば平面図や断面図に適しているからです。
【マルチテキスト】ツール（152ページ）は高機能で、建築図では「特記仕様書」などの文章を書くときに適しています。

異尺度対応と文字高さ

❸で文字高さとして＜**4**＞mmと指定しましたが、これは印刷時の文字高さです。練習用データで使用した文字スタイルには［異尺度対応］を設定しています。このため図面の縮尺にかかわらず❸で指定する文字高さは、印刷時の文字高さです。異尺度対応機能を使わない場合、文字高さは図面の縮尺を意識して決める必要があります。たとえば縮尺＝1/100で文字高さ4mmで印刷したいときは、❸で指定する文字高さは400mmになります。
なお図面ファイルが異尺度対応機能を使っているかは、次の2点で確認できます。
◆文字スタイル／寸法スタイルが異尺度対応になっている（🅐のアイコンがついているスタイルを使っている）
◆【注釈尺度】（🅑）が設定されている（「1:1」は除く）
本書で使用している練習用データはすべて異尺度対応になっています。設計現場では異尺度対応機能を使っている図面と使っていない図面が混在していることがありますが、問題はありません（166ページのコラム参照）。

🅐 異尺度対応のアイコン

🅑【注釈尺度】

5.1.4 文字列を修正する

文字列の修正の方法を練習します。

ここでは【文字記入】ツールで記入した文字の修正手順を説明します。

【文字記入】ツールで記入した「南立面図　S＝1/50」を「1階平面図　S＝1/50」に変えます。

 練習用データは「7days_2022」フォルダの中の「Day5」フォルダの中にある「Ex502.dwg」です。

❶ 文字列をダブルクリックする（文字列が反転）

> 文字列をダブルクリックしましたが、文字列を選択してから右クリックし、メニューの［編集］をクリックしても同じことができます。

❷ 修正部（「立」のうしろ）をクリックしてキャレット（カーソル）を入れる

❸ Backspace キーを押して「南立」を削除する

❹ ＜1階平＞と入力し、文字列以外の位置をクリックする

❺ カーソルが □ に変わるので Esc キーを押す（修正終了）

※ □ のカーソルでほかの文字列をクリックすると、その文字列を修正できます。

❶ ダブルクリックして反転させる

❷ 「立」のうしろにキャレット（カーソル）を入れる

❸ 「南立」を削除する

❹ 「1階平」をキーインする

修正結果

5.1.5 【マルチテキスト】ツールを使う

マルチテキストは【マルチテキスト】ツールで記入します。【マルチテキスト】ツールは【文字入力】ツールより細かな設定ができます。

 練習用データは「7days_2022」フォルダの中の「Day5」フォルダの中にある「Ex503.dwg」で、本書用の文字スタイルを設定しています。

❶【マルチテキスト】ツールをクリックする

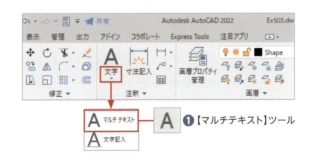
❶【マルチテキスト】ツール

❷ 作図ウィンドウで長方形を描くように範囲を指定する

※範囲のサイズは任意です。範囲を作成すると、リボンに《テキストエディタ》タブが表示されます。

❸《テキストエディタ》タブの[フォント]をクリックし、フォントリストで「MS Pゴシック」をクリックする

❹ [文字高さ]に＜5＞mmと入力する

※過去にたとえば＜5.5＞を使ったことがあると＜5＞を入力したとき＜5.5＞が入力されます。その場合は＜5.5＞を修正して＜5＞に変更してください。

❺ ＜○○○○ビル新築工事＞とキーインしてから改行し、続けて
＜基準階平面図　S＝1/100＞とキーインする

❻ 「基準階平面図　」の部分を選択し、《テキストエディタ》タブで[フォント]を「MS P明朝」に、[文字高さ]を＜4＞mmに変える

「基準階平面図　」を選択しフォントと文字高さを変える

❼ 「S＝1/100」の部分を選択し、《テキストエディタ》タブで[フォント]を「MS P明朝」に、[文字高さ]を＜3＞mmに変える

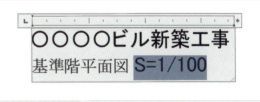

「S＝1/100」を選択しフォントと文字高さを変える

❽ 作図ウィンドウの空いている場所をクリックする（ツール終了）

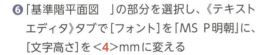

マルチテキストの完成

5.1.6 マルチテキストオブジェクトを修正する

【マルチテキスト】ツールで書いた文字列を「マルチテキストオブジェクト」といいます。このマルチテキストオブジェクトの編集方法を説明します。

 練習用データは引き続き「Ex503.dwg」で、前項でマルチテキストを記入しているものとします。

❶ 前項で記入した文字列をダブルクリックしてテキストエディタを開く

❷ 範囲の幅を調整する（幅を狭くする）
❸ キャレット（カーソル）が表示されているのを確認する
※キャレット（カーソル）がない場合は文字列をクリックします。

❹ Ctrl＋Aキーを押して文字列を全選択する

❺《テキストエディタ》タブの[中央揃え]ボタンをクリックする

❻ 作図ウィンドウの空いている場所をクリックする（ツール終了）

文字列をダブルクリックしてテキストエディタを開く

幅を調整した

Ctrl＋Aキーを押して全選択する

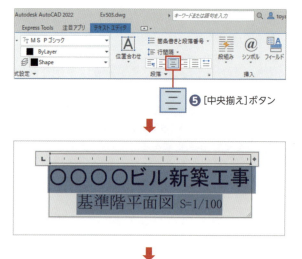

❺ [中央揃え]ボタン

修正結果

5.2 寸法

　図面は寸法を描いて、はじめて図面らしくなります。寸法は入力がさほど難しくないので図面作成者に軽く見られがちですが、図面を使う側からすると一番といってよいほど重要な図面要素です。それだけに慎重に記入しなければなりません。AutoCAD 2008以降は寸法も異尺度対応になっています。異尺度対応に関しては166ページでまとめて解説します。

5.2.1 寸法スタイルを設定する

　寸法のスタイルは描く人によって、大きく違います。特に建築設計図では自由度が大きく、それだけにさまざまなスタイルがありえます。

　寸法スタイルは【寸法スタイル管理】コマンドで設定します。

> 練習用データは「7days_2022」フォルダの中の「Day5」フォルダの中にある「Ex504.dwg」です。「Ex504.dwg」は文字スタイルのフォントに「MS P明朝」を選択しています。

❶【寸法スタイル管理】ツール

❶ [注釈]パネルの【寸法スタイル管理】ツールをクリックする
❷ 「寸法スタイル管理」ダイアログで 新規作成 をクリックする
❸ 「寸法スタイルを新規作成」ダイアログの[新しいスタイル名]にたとえば<My_Dim>とキーインする
❹ [異尺度対応]にチェックを入れる
❺ 続ける をクリックする

　ここから寸法スタイルの設定をします。

❶ 「寸法スタイルを新規作成 My_Dim」ダイアログで《寸法線》タブをクリックする
❷ [補助線延長長さ]に<0>mmをキーインする
❸ [起点からのオフセット]に<1.5>mmをキーインする

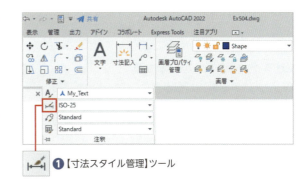
「寸法スタイル管理」ダイアログ　　「寸法スタイルを新規作成」ダイアログ

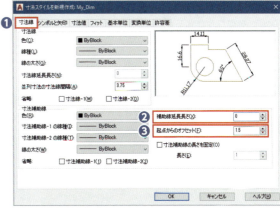
「寸法スタイルを新規作成 My_Dim」ダイアログ

❹《シンボルと矢印》タブをクリックする
❺［矢印］の［1番目］で「黒丸」を選択する
※自動的に［矢印］の［2番目］が「黒丸」になります。
❻［矢印のサイズ］に＜0.8＞mmをキーインする

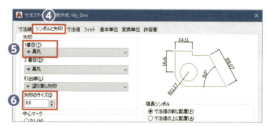
《シンボルと矢印》タブ

❼《寸法値》タブをクリックする
❽［文字スタイル］で「My_Text」を選ぶ
❾［文字の高さ］が＜2.5＞mmになっていることを確認する
※［文字の高さ］は印刷したときの高さで指定します。

《寸法値》タブ

❿《フィット》タブをクリックする
⓫［寸法値の配置］の［引出線なしに寸法値を自由に移動］を選択する
⓬［寸法図形の尺度］の［異尺度対応］にチェックが入っているのを確認する

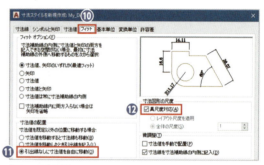
《フィット》タブ

⓭《基本単位》タブをクリックする
⓮［長さ寸法］の［精度］で「0」を選択する
※［精度］を「0」にしたのは、寸法値で小数点以下の数値を表示させないためです。もし小数点以下1桁まで表示させたいときは［精度］で「0.0」を選びます。
⓯［角度寸法］の［単位の形式］で「度／分／秒」を選択する
⓰［角度寸法］の「精度」で「0d00'00"」を選択する
⓱ OK をクリックする
※《変換単位》タブと《許容差》タブが残っていますがデフォルトのままにします。

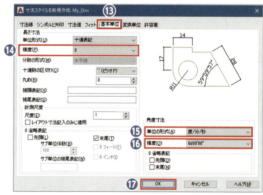
《基本単位》タブ

⓲「寸法スタイル管理」ダイアログで「My_Dim」が選択されているのを確認し、現在に設定 をクリックする
⓳ 閉じる をクリックして作図ウィンドウに戻る

寸法スタイルは図面ごとに保存されます。このため実際の運用では寸法スタイルなどを設定した図面をテンプレート（039ページ）として保存しておき、このテンプレートを開いて図面を描き始めます。

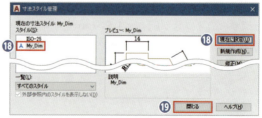
「寸法スタイル管理」ダイアログ

5.2.2 寸法用ツールを準備する

　寸法用ツールは《注釈》タブに揃っていますし、《ホーム》タブの[注釈]パネルにもあります。できるだけ《ホーム》タブにあるツールだけで製図をしたいのですが、《ホーム》タブの[注釈]パネルにある寸法用ツールには残念ながら【直列寸法記入】ツールがありません。そこでこのツールをクイックアクセスツールバーに登録します。

練習用データは「7days_2022」フォルダの中の「Day5」フォルダの中にある「Ex505.dwg」です。「Ex505.dwg」は、前項で作成した「My_Dim」を現在の寸法スタイルに設定しています。

❶ クイックアクセスツールバー右端の近くにある ▼ をクリックする
❷ メニューの[その他のコマンド]をクリックする

❸「ユーザインタフェースをカスタマイズ」ダイアログで次のように操作する
　◆ カテゴリーで「寸法」を選択する
　◆ コマンドの「寸法記入、直列寸法記入」をドラッグしてクイックアクセスツールバーにドロップする
　◆ OK をクリックする

クイックアクセスツールバーに登録したツールを削除したいときは次のように操作します。
❶ 削除したいツールのアイコンを右クリックする
❷ メニューで[クイックアクセスツールバーから除去]をクリックする

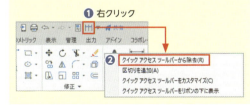

5.2.3 【長さ寸法記入】ツールと【直列寸法記入】ツールで寸法を記入する

建築図面で最も使用頻度が高い寸法ツールは【長さ寸法記入】ツールと【直列寸法記入】ツールです。

【長さ寸法記入】ツールから練習しますが、寸法はきちんとした位置に描かないと図面全体が粗雑に見えます。そこで練習用データには寸法の位置を決める定規役の長方形を用意しています。

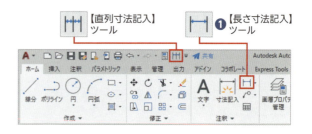

 練習用データは「7days_2022」フォルダの中の「Day5」フォルダの中にある「Ex505.dwg」です。「Ex505.dwg」は、前項で作成した「My_Dim」を現在の寸法スタイルに設定しています。

最初に全体の寸法を記入します。

❶【長さ寸法記入】ツールをクリックする
❷ X1点(端点) → X4点(端点)をクリックする
❸ A点(中点)をクリックする
❹ スペース キーを押す(ツール再開)
❺ Y1点(端点) → Y4点(端点)をクリックする
❻ B点(中点)をクリックする

定規役の長方形は【長方形】ツールと一時オブジェクトスナップの【基点設定】コマンド(139ページ)を使って描きます。

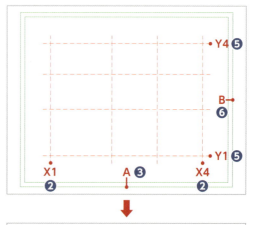

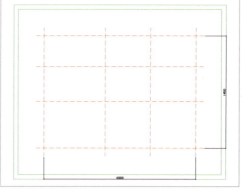

結果

次は部分寸法を記入します。

❶【長さ寸法記入】ツールをクリックする
❷ X1点(端点) → X2点(端点)をクリックする
❸ C点(中点)をクリックする

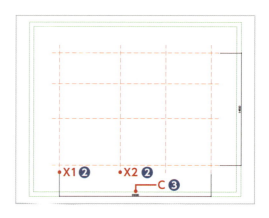

❹【直列寸法記入】ツールをクリックする

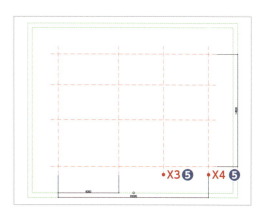
❹【直列寸法記入】ツール

❺ X3点（端点）→ X4点（端点）をクリックする
❻ Escキーを押す（ツール終了）

基準線の端点に確実にスナップさせたいとき、カーソルを対象点の近くに寄せるのではなく、基準線（通り芯線）に近づけます（135ページのコラム参照）。

対象点の近くには寸法補助線の端点、寸法の基準点（見えないが点オブジェクト）もある

❼【長さ寸法記入】ツールをクリックする

❽ Y1点（端点）→ Y2点（端点）をクリックする
❾ D点（中点）をクリックする

❿【直列寸法記入】ツールをクリックする
⓫ Y3点（端点）→ Y4点（端点）をクリックする
⓬ Escキーを押す（ツール終了）
⓭ 定規役の2つの長方形を削除する

寸法を記入したら拡大表示して寸法が正しいかチェックします。

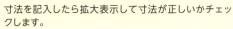

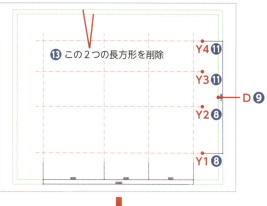

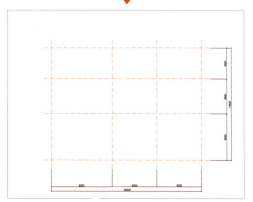

結果

5.2.4　斜め方向の寸法を記入する

　斜め方向の寸法は【平行寸法記入】ツールで描きます。寸法が連続するときはここでも【直列寸法記入】ツールを使います。

練習用データは「7days_2022」フォルダの中の「Day5」フォルダの中にある「Ex506.dwg」です。

❶【平行寸法記入】ツールをクリックする

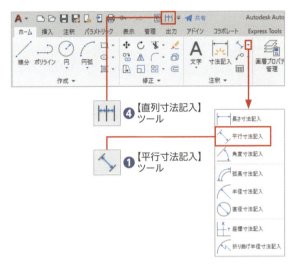

❷ A点（端点）→ B点（端点）をクリックする
❸ 任意の位置（X点）をクリックする

❹【直列寸法記入】ツールをクリックする
❺ C点（端点）→ D点（端点）→ E点（端点）→ F点（端点）をクリックする
❻ Esc キーを押す（ツール終了）

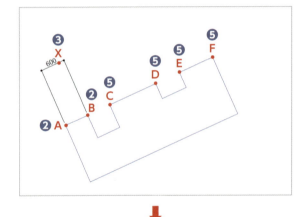

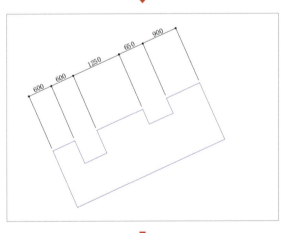

オブジェクトを指定してそのオブジェクトの寸法を記入できます。

❼【平行寸法記入】ツールをクリックする
❽ スペース キーを押す（オブジェクトを選択）

❾ ポリラインの **Y** 点あたりをクリックする
❿ **Z** 点あたりをクリックする

❼【平行寸法記入】ツール

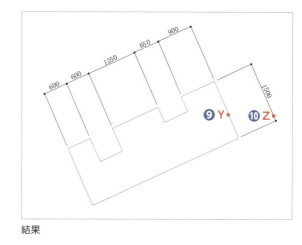

結果

5.2.5 半径寸法を記入する

円や円弧の半径寸法を記入してみます。

 練習用データは「7days_2022」フォルダの中の「Day5」フォルダの中にある「Ex507.dwg」です。

Ex507.dwg には半径寸法用の寸法スタイルを用意しています。最初に寸法スタイルを変えます。

❶ [注釈]パネルの[寸法スタイル]をクリックする

❷ 寸法スタイルのリストで「My_Dim_R」をクリックする

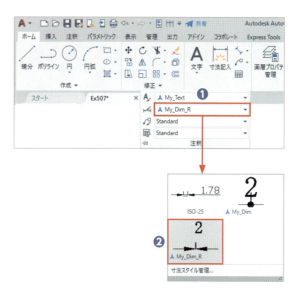

❸【半径寸法記入】ツールをクリックする

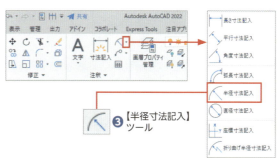

❹ 円の円周上の点をクリックする（矢印の先端にする位置）
❺ 円の内側で寸法値を配置したいところをクリックする

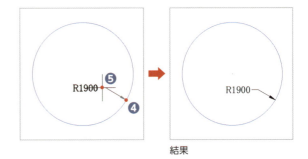

結果

❻ スペース キーを押す（ツールの再開）
❼ 円弧の円周上の点をクリックする
❽ 円弧の外で寸法値を配置したいところをクリックする

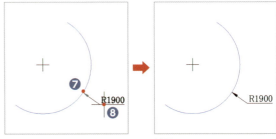

結果

本例では半径寸法を記入しましたが、直径を記入したいときは【直径寸法記入】ツールを使います。操作方法は【半径寸法記入】ツールと同じです。ただし寸法スタイルは長さ寸法用の「My_Dim」を使います。

 【直径寸法記入】ツール

直径寸法

ここで使った寸法スタイル「My_Dim_R」は、「寸法スタイルを新規作成」ダイアログで作成する際の設定で、長さ寸法用の「My_Dim」と次の違いがあります。

◆《シンボルと矢印》タブでの設定
[矢印1番目] ……………「塗り潰し矢印」を選択する
[矢印2番目] ……………「塗り潰し矢印」を選択する
[矢印のサイズ] …………<2.5>mm

◆《寸法値》タブ
[寸法値の位置合わせ] ―[常に水平]を選択する

◆《フィット》タブ
[寸法値の配置] …………[寸法値を移動したとき引出線を記入]を選択する
[微調整] ……………………[寸法値を寸法補助線の内側に記入]のチェックを外す

なお半径用の寸法スタイルを長さ寸法用の寸法スタイルのサブ寸法スタイルに設定できます。しかし本書の範囲を超えるので説明を省略します。

5.2.6 角度寸法を記入する

角度寸法には【角度寸法記入】ツールを使いますが、記入するにはいくつかの方法があります。これから3つの方法を説明します。

最初に線分どうしの角度寸法を記入し、次に水平に対する角度寸法を記入します。

練習用データは「7days_2022」フォルダの中の「Day5」フォルダの中にある「Ex508.dwg」です。

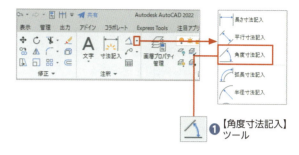

❶【角度寸法記入】ツールをクリックする
❷ 2本の線分(PとQ)をクリックする
❸ 角度寸法を記入する位置(A点)をクリックする

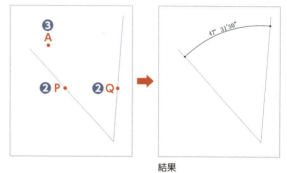

❹ スペース キーを押す(ツール再開)
❺ スペース キーを押す(頂点モード)
❻ B点(端点)→C点(端点)を順にクリックする
❼ B点の左水平方向の任意点(D点)をクリックする
※ D点はB点に近いほうがよい。
❽ 角度寸法を記入するE点(任意位置)をクリックする

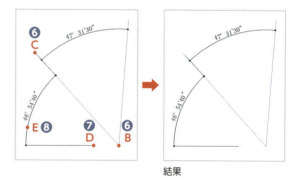

5.2.7 寸法スタイルを変える

前項で2つの角度寸法を記入しました。この2つの角度寸法の寸法スタイルを変えてみます。

❶ 2つの角度寸法を選択する

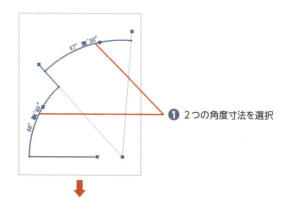

❷ 作図ウィンドウで右クリックし、メニューの[オブジェクトプロパティ管理]をクリックする

※ Ctrl + 1 キーを押しても同じです。

❸ プロパティパレットの[線分と矢印]の[矢印1]で「塗り潰し矢印」を選択する

❹ [矢印2]で「塗り潰し矢印」を選択する

❺ [矢印サイズ]に<**2.5**>mmをキーインする

❻ プロパティパレットの[閉じる]ボタンをクリックする

※ Ctrl + 1 キーを押しても同じです。

❼ Esc キーを押す(選択解除)

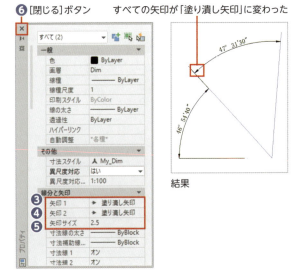

結果

5.2.8 円を用いた角度寸法を記入する

角度寸法の3番目の方法は円を用いて記入します。1点目を円周上の点を指定すると、角度寸法が円モードに変わります。

 練習用データは「7days_2022」フォルダの中の「Day5」フォルダの中にある「Ex509.dwg」です。

❶ 【角度寸法記入】ツールをクリックする

❷ 作図ウィンドウで Shift キーを押しながら右クリックし、メニューの[四半円点]をクリックする(一時オブジェクトスナップ)

❸ **A**点(円上部の四半円点)→ **B**点(中点)をクリックする

❹ 角度寸法を記入する位置(**C**点)をクリックする

続いて連続寸法を描きます。

❺ 【直列寸法記入】ツールをクリックする

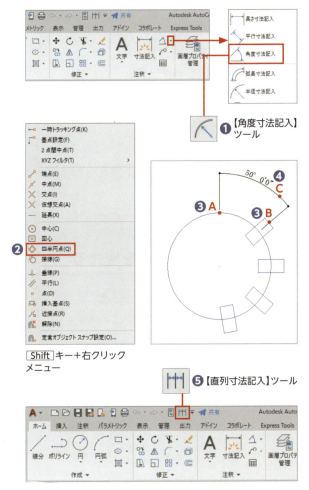

❻ **D**点(中点)→**E**点(中点)→**F**点(中点)と順にクリックする
❼ Esc キーを押す(ツール終了)

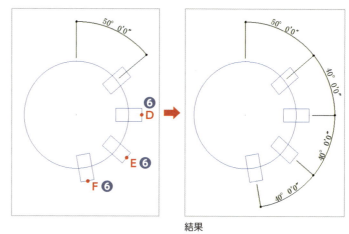

結果

　以上、円のまわりに4つの角度寸法を記入しました。寸法値を見ると「度分秒」のうち「度」だけで十分なのでこれを修正します。

❽ 円のまわりの4つの角度寸法を選択する
❾ 作図ウィンドウで右クリックし、メニューの[オブジェクトプロパティ管理]をクリックする
❿ プロパティパレットの[基本単位]の[角度の精度]で「0d」を選択する
⓫ プロパティパレットの[閉じる]ボタンをクリックする
⓬ Esc キーを押す(選択解除)

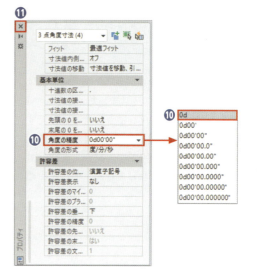

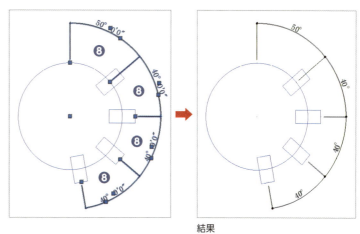

結果

5.3 異尺度対応オブジェクト

　AutoCADは原寸型のCADです。手描き製図なら用紙と縮尺を決めてから製図に取り掛かりますが、AutoCADは原寸（縮尺＝1：1）で図面を描きます。そして印刷するときに用紙と縮尺を決定します。これは自由度が高い仕組みですがいくつか困ることがあります。それは注釈（文字や寸法などのこと）のサイズです。たとえば文字のサイズは縮尺を意識して高さを設定しなければなりません。縮尺が1/100で文字高さが3mmになるように印刷したいなら300mmの高さの文字を記入します。もし縮尺が1/50なら文字高さは150mmです。寸法では寸法値そのものは原寸で記入して問題ありませんが、寸法値の文字の高さや矢印のサイズは縮尺を意識しなければなりません。

　以上のことは原寸型CADということを理解すれば対応できますし実際に対応してきました。しかし、1枚の図面で2種類以上の縮尺を使うときは面倒です。たとえば縮尺＝1/200の図面と縮尺＝1/30の詳細図を並べたいとき図形は共用できますが、文字や寸法は別々に用意しなければなりません。そして実際にそうしてきました。

※1枚の図面で2種類以上の縮尺を使うには「レイアウト」（189ページ）の機能を使います。

　以上の問題点に対応するため、約14年前のAutoCAD 2008から「異尺度対応オブジェクト」が登場しました。「異尺度対応オブジェクト」とは複数の縮尺に対応したオブジェクトという意味です。そしていくつかの「注釈」が異尺度の対象になります。「注釈」とは図面に情報を付加するオブジェクトのことですが次の注釈が異尺度対応になりました。

- ◆ 文字と寸法　　◆ 一部のハッチング
- ◆ 幾何公差　　　◆ マルチ引出線
- ◆ ブロックと属性

　本書は文字と寸法を異尺度対応にしています。このため「7days_2022」フォルダにあるデータはあらかじめ縮尺を設定してから図面を作成しています。縮尺の設定はこのあと説明します。

> 異尺度対応オブジェクトを使えるようになって10年以上経ちますが、異尺度対応スタイルを使っていない図面も数多くあります。そのような図面を使いたいときにどうなるかが気になりますが心配ありません。たとえば文字スタイルを異尺度対応に変えたとしても文字に変化はありません。スタイルを変える前に記入した文字は旧スタイルのまま残り、新たに追加する文字だけ異尺度対応オブジェクトになります。そして印刷しても縮尺を変えなければ異尺度対応の文字か旧スタイルか区別できません。

5.3.1 縮尺を設定する

　図面の作成を開始するとき最初に縮尺を設定します。その手順を説明します。

❶ クイックアクセスツールバーの【クイック新規作成】ツールをクリックする

❶【クイック新規作成】ツール

5.3 異尺度対応オブジェクト

❷「テンプレートを選択」ダイアログで図に示す[▼]をクリックし、メニューの[テンプレートなしで開く－メートル]をクリックする

　新規図面の注釈尺度は原寸（1：1）です。これを縮尺＝1/100（1：100）に変えます。

❸作図補助ツールにある【注釈尺度】で「1：100」を選択する
※リストにない縮尺（たとえば1：200）は[カスタム]でリストに加えます。

　注釈尺度を設定したら用紙サイズを設定したいところですが、AutoCADには用紙サイズを表示する機能がありません。そこで用紙の線を自分で描きます。用紙の線（図面枠）は異尺度オブジェクトではないため原寸で描きます。「原寸」の意味の確認を兼ねて図面枠を描く手順を紹介します。用紙はA3判（420×197mm）とします。

❹【長方形】ツールをクリックする
❺＜0,0＞を入力する（原点）
❻＜42000,29700＞を入力する
※縮尺が1/100なのでA3判の実寸の100倍が原寸になります。もし1/50なら＜21000,14850＞を入力します。
❼【オブジェクト範囲ズーム】ツールをクリックする

　外形線から内側に10mm（実寸）入った位置に図面枠を描きます。

❽【オフセット】ツールをクリックする
❾＜1000＞mmを入力する（間隔）
※10mm×100＝1000mm。1/50なら500mmです。
❿P線（外形線）をクリックしてからP線の内側をクリックする
⓫ スペース キーを押す（ツール終了）

　図面枠の線ができました。用紙の外形線（P線）は不要なので普通は消去しますが、そのまま残してもかまいません。

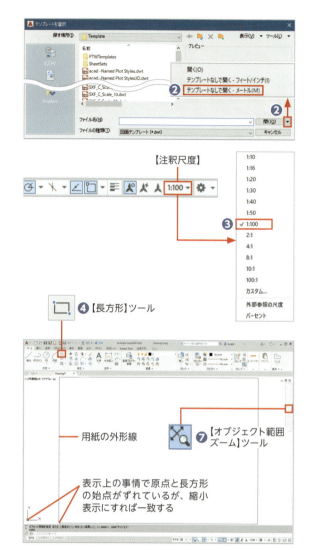

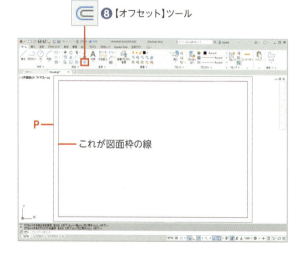

167

5.3.2 文字の異尺度対応

文字の記入方法は150ページで説明しました。ここでは異尺度対応の意味の確認をします。

 練習用データは「7days_2022」フォルダの中の「Day5」フォルダの中にある「Ex510.dwg」（A3判、縮尺=1/50）です。

Ex510.dwgの中央の長方形に「ダイニングルーム」の文字列（高さ=3mm）があり、【注釈尺度】を見ると縮尺が「1：50」になっています。

次に縮尺が1:20のときの文字列を記入します。

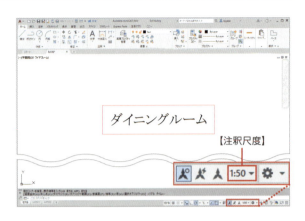

❶ 作図補助ツールの【注釈尺度】で「1:20」を選択する

❷ 【注釈オブジェクトを表示】をクリックしてオフにする

※「1:50」で記入した注釈オブジェクト（ここでは「ダイニングルーム」の文字列）が画面から消えます。

❸ 【文字記入】ツールをクリックする

❹ 図に示すあたりをクリックする
❺ ＜**3**＞mmを入力する（文字の高さ）
❻ Enterキーを押す（角度=0°）
❼ 文字列＜**ダイニングルーム**（改行）**床は板張り、壁はしっくい塗り**（改行）**天井は天然木の板張りで一部が光天井**＞を入力する
❽ Enterキーを2回押す（ツール終了）

【注釈オブジェクトを表示】は普段はオンにしておきます。オンにしておけば、ほかの尺度（ここでは1:50）の文字列も表示され、図面をチェックするときに役立ちます。

図面に使用されている文字スタイルと寸法スタイルが異尺度対応になっているかは、リボンの［注釈］パネルを見るとわかります。

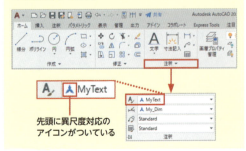

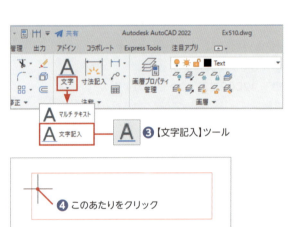

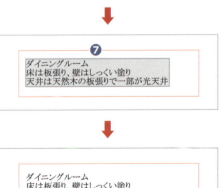

結果

5.3.3 レイアウトで確認する

文字列の準備が終わったので、レイアウトを使って結果を見てみます。なおレイアウトとは何かについては189ページで説明していますので、操作手順だけを示します。引き続き「Ex510.dwg」で練習します。

❶ 画面の左下にある《レイアウト1》タブをクリックする
※ レイアウト画面に2つのビューポートが現れます。このビューポートは「Ex510.dwg」に設定しておいたものです。

❷ ステータスバーの【モデルまたはペーパー空間】をクリックして「モデル」に変える
※「モデル」に変えると編集できます。

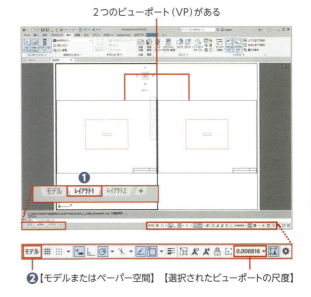

2つのビューポート(VP)がある
❷【モデルまたはペーパー空間】【選択されたビューポートの尺度】

❸ 左側のビューポート(以下、VP)の任意の位置をクリックしてVPを選択する
※ 選択すると周囲の線が太くなります。
❹ ステータスバーの【選択されたビューポートの尺度】で「1:50」を選択する
❺ 右側のVPの任意の位置をクリックして選択する
❻【選択されたビューポートの尺度】で「1:20」を選択する
❼【モデルまたはペーパー空間】をクリックして「ペーパー」に変える
❽ 異尺度対応オブジェクトの意味を確認したら《モデル》タブをクリックして元に戻る

以上のように尺度＝1:50で記入した文字列はVP尺度が1:50のVPにだけ表示され、1:20で記入した文字列はVP尺度が1:20のVPだけに表示されます。このようは異尺度対応オブジェクトは、たとえば全体図と詳細図を並べて印刷するときに役立ちます。

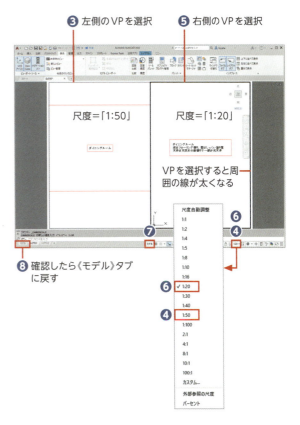

❸ 左側のVPを選択　❺ 右側のVPを選択
VPを選択すると周囲の線が太くなる
❽ 確認したら《モデル》タブに戻す

5.3.4 寸法の異尺度対応

文字と同じように寸法の異尺度対応を確認します。

 練習用データは「7days_2022」フォルダの中の「Day5」フォルダの中にある「Ex511.dwg」です。

寸法を記入します。

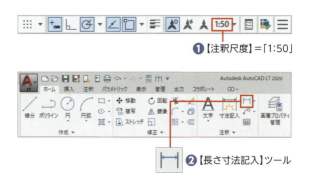

❶【注釈尺度】＝「1:50」

❷【長さ寸法記入】ツール

❶ 作図補助ツールで【注釈尺度】が「1:50」になっているのを確認する

❷【長さ寸法記入】ツールをクリックする

❸ A点（端点）→ B点（端点）→ P点（点オブジェクト）をクリックする

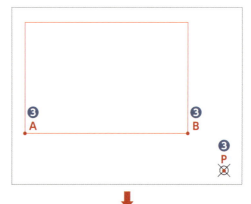

❹ スペース キーを押す（ツール再開）

❺ B点（端点）→ C点（端点）→ P点（点オブジェクト）をクリックする

※ 寸法値の文字の高さは寸法スタイルで2.5mmに設定しています。

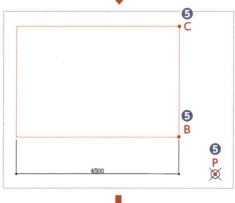

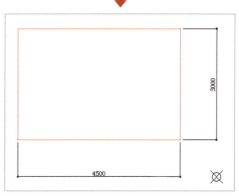

結果

5.3 異尺度対応オブジェクト

2つの寸法の注釈尺度に「1:100」を加えます。

❶ 2つの寸法を選択する

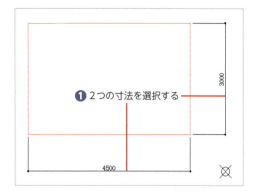

❷ 作図ウィンドウで右クリックし、メニューの[異尺度対応オブジェクトの尺度]→[尺度を追加／削除]をクリックする

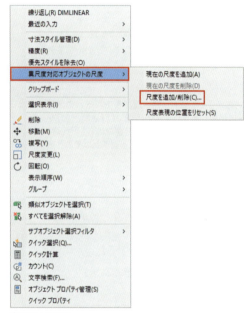

右クリックメニュー

❸ 「異尺度対応オブジェクトの尺度」ダイアログの 追加 をクリックする

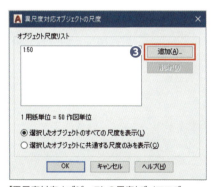

「異尺度対応オブジェクトの尺度」ダイアログ

❹「オブジェクトに尺度を追加」ダイアログで「1:100」をクリックして OK をクリックする

❺「異尺度対応オブジェクトの尺度」ダイアログの OK をクリックして作図ウィンドウに戻る

　文字と同じようにレイアウト画面でどうなるかを確認します。ただし操作法は文字のときとまったく同じですので結果のみ示します。【選択されたビューポートの尺度】は左側のVPで「1:50」、右側の「1:100」に設定します。

「オブジェクトに尺度を追加」ダイアログ

> レイアウト画面のスクロールはステータスバーの【モデルまたはペーパー空間】をクリックして「モデル」に変えてから行います。

> 異尺度対応オブジェクトは使う尺度をそれぞれのオブジェクトに付加します。文字の例題では【注釈尺度】を変えて記入し直しました。寸法の例題では【注釈尺度】を直接付加しました。どちらの方法を使うかはそのときの状況で選んでください。

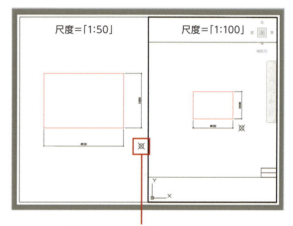

点オブジェクトの大きさが変わっても気にしなくてよい。気になるときは＜regenall＞(全再作図)を入力すると、点オブジェクトの大きさが変更される

6日目
印刷とデータ変換

6日目の練習内容

6日目 印刷とデータ変換【練習内容】

CADは印刷してあるいはデータを発注元に納めてはじめて仕事が終わります。CADで図面を描いているときも仕事をしているのですが、何か宙ぶらりんな感じがします。それが印刷をするとすっきりするものです。

ほかの分野のソフトと異なりAutoCADで印刷したりデータ変換するためには各種の知識が必要です。このためここでは練習より説明のほうが多くなりますが、確実な仕事をするために最低限知っておかなければならない知識ですので我慢してください。

6.1 印刷

- ドライバソフトについて
- とりあえず印刷してみる
- ページ設定を保存する
- 印刷スタイルテーブル
- 印刷スタイルテーブルの内容
- 印刷スタイルテーブルの編集と割り当て
- 印刷時の線の太さ

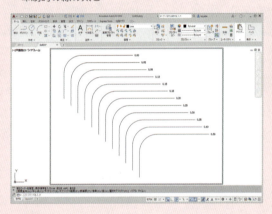

6.2 モデルタブとレイアウトタブ

- レイアウトを設定する

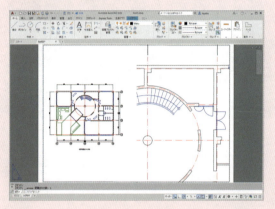

6.3 データ変換

- AutoCADから出力できるファイル形式
- DWG
- DXF
- DWF
- PDF
- ビューワー

6.1 印刷

AutoCADで印刷するには次の知識が必要です。

◆ プリンタ／プロッタのドライバソフトの基礎知識　◆ 印刷スタイルテーブルの設定
◆ 印刷スタイルの設定　◆ モデルとレイアウト
◆ 線の太さ

「モデルとレイアウト」は189ページで説明しますので、そのほかの項目について説明します。

6.1.1 ドライバソフトについて

Windowsのソフトウェアで印刷するとき、プリンタ／プロッタ用のドライバソフト（以下、ドライバ）がインストールされていなければなりません。

普通はインターネットからドライバをダウンロードしてインストールするか、プリンタ／プロッタを購入したとき添付されているDVDなどを使ってインストールしますので、AutoCADから印刷するのに、別のドライバソフトをインストールする必要はほとんどありません。ですから以下は特殊なプリンタやプロッタを使うとき以外は知らなくても困らない内容です。しかし、知っておいたほうがよいので時間のあるときに読んでください。

AutoCADからの出力は、HDI (Heidi Device Interface)というオートデスク社が開発したソフトウェアを通して行います。AutoCADのHDIは次の3種類があります。
1 システムプリンタ用HDI
2 非システムプリンタ用HDI
3 ファイル形式HDI

1 システムプリンタ用HDI

システムプリンタ用HDIとは一般のプリンタ／プロッタ（これをシステムプリンタという）を使用するときに用いるHDIです。ユーザーからはHDIは見えませんのでHDIを意識する必要はなく、普通のWindows用ソフトから印刷するときと同じ感覚で操作できます。

2 非システムプリンタ用HDI

AutoCADの専用ドライバで、主にプロッタ用です。プロッタにもドライバ（システムドライバ）がついていますので非システムドライバが必要になることはないと思われますが、一応説明します。

非システムドライバはAutoCADをインストールしたときに一緒にインストールされます。どんなメーカーのどんな機種に非システムプリンタHDIが用意されているかを知る手順を説明します。

 練習用データはどんなファイルでもかまいませんが、とりあえず「7days_2022」フォルダの中の「Day6」フォルダの中にある「Ex601.dwg」を使います。

❶《出力》タブの［印刷］パネルの【プロッタ管理】ツールをクリックする

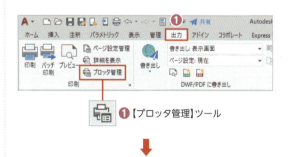

❶【プロッタ管理】ツール

❷「Plot Styles」ウィンドウの「プロッタを追加ウィザード」をダブルクリックする
❸「プロッタを追加」ダイアログが開く。次へをクリックし、次のページでも次へをクリックする

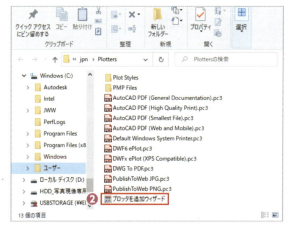

「Plot Styles」ウィンドウ。「プロッタ追加ウィザード」をダブルクリックする

❹「プロッタを追加−プロッタのモデル」ダイアログでプロッタのメーカーと機種名を確認する
❺ キャンセル をクリックしてダイアログを閉じる

　AutoCAD 2022の場合、プロッタのメーカーとして「CalComp」、「Hewlett−Packard」（HP）、「Xerox」の3社の名前が並んでいます。
　システムプリンタHDIと非システムプリンタHDIの違いを図示します。矢印はデータの流れを示します。

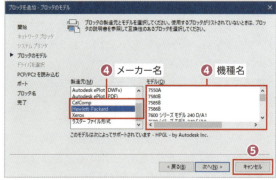

「プロッタのモデル」ダイアログ
このダイアログが必要なケースはまれだと思われる。たとえばHPのDesignJetを使うならHPのWebサイトからドライバを入手し、インストールするのが普通

◆ システムプリンタHDIのデータの流れ

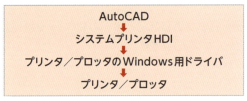

◆ 非システムプリンタHDIのデータの流れ

3 ファイル形式HDI

　EPSファイル、ラスター（画像）ファイルはいずれもHDIドライバで変換します。プリンタ／プロッタに出力するのではなく、ファイルに出力するのでファイル形式HDIドライバと呼びます。
　ファイルに出力するので印刷と呼ぶよりデータ変換と呼んだほうが理解しやすいので、データ変換のところで説明します（194ページ）。

6.1.2 とりあえず印刷してみる

　AutoCADで図面を印刷するというと「印刷スタイルテーブル」、「ページ設定」あるいは「レイアウト」とビギナーには理解しにくい仕組みがあり腰が引けてしまいます。しかし文字、線種、寸法に縮尺を意識して設定しておけば、とりあえず印刷できます。

　ここでは図面を開きＡ４プリンタで印刷する手順を説明します。なおここで紹介する手順は簡易的なものですが、多くの場合これで対応できます。

 練習用データは「7days_2022」フォルダの中の「Day6」フォルダの中にある「Ex601.dwg」です。

❶ クイックアクセスツールバーにある【印刷】ツールをクリックする

❷ 「印刷－モデル」ダイアログで、[プリンタ/プロッタ]の[名前]で使用するプリンタ/プロッタを選択する

❸ [用紙サイズ]で「A4」を選択する

※プリンタ/プロッタの機種により[用紙サイズ]で選択できる内容が異なります。

❹ [印刷対象]で「窓」を選択する

❺ 作図ウィンドウに切り替わるので印刷する範囲として、**A**点(端点)→**B**点(端点)をクリックする

　「印刷－モデル」ダイアログに戻るので引き続き設定する。

❻ [印刷の中心]にチェックを入れる
❼ [印刷尺度]で[用紙にフィット]をオフにする
❽ [尺度]で「1:100」を選択する
❾ [オプションを表示]ボタンをクリックする

❶【印刷】ツール

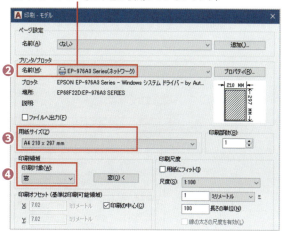

「印刷－モデル」ダイアログ

印刷する範囲を指定する

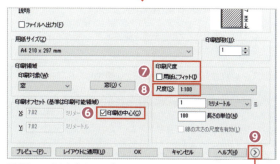

「印刷－モデル」ダイアログ

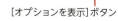

[オプションを表示]ボタン

⑩ [印刷スタイルテーブル]で「monochrome.ctb」を選択する
※質問メッセージが表示されたら はい をクリックします。
⑪ [線の太さを印刷に反映]にチェックを入れる
⑫ [印刷スタイルを使って印刷]にチェックを入れる
⑬ プレビュー をクリックする
⑭ プレビューで問題ないことが確認できたら[印刷]ボタンをクリックする。問題があれば[プレビューウィンドウを閉じる]ボタンをクリックして「印刷－モデル」ダイアログに戻り設定を見直す

「印刷－モデル」ダイアログ

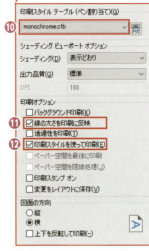
「印刷－モデル」ダイアログのオプション部分

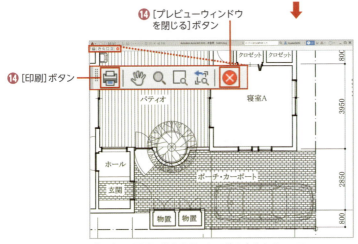
プレビュー画面。拡大表示にして線の太さをチェック
⑭ [プレビューウィンドウを閉じる]ボタン
⑭ [印刷]ボタン

用紙の種類や印刷品質はプリンタ／プロッタのプロパティで設定します。

❶「印刷－モデル」ダイアログの[プリンタ／プロッタ]の[名前]右側にある プロパティ をクリックする

❷「プロッタ環境設定エディタ」ダイアログの カスタム プロパティ をクリックする

❸ プリンタ／プロッタ独自の設定用ダイアログが開くので、用紙種類や印刷品質などを設定する

❹ 設定したら、プリンタ／プロッタ独自の設定用ダイアログ、続けて「プロッタ環境設定エディタ」ダイアログの OK をクリックする

カスタムプロパティを設定した場合、❹の次に「プロッタ環境設定ファイルの変更」ダイアログが表示され、この設定を保存しておくように勧められるので、なるべく保存してください。たとえば「○○○.pc3」(○○○＝プリンタ名)という名で保存しておけば「印刷」ダイアログの[プリンタ／プロッタ]の[名前]として「○○○.pc3」を選択するだけでこれらの設定ができます。

「印刷－モデル」ダイアログ
「プロッタ環境設定エディタ」ダイアログ
❸ このダイアログはプリンタによって異なる

6.1.3　ページ設定を保存する

　前項でとりあえず印刷しました。このときの設定を「ページ設定」に保存しておくと、次回印刷するとき、保存した「ページ設定」を選択するだけで印刷を始められます。前項で印刷したものとしてページ設定の手順を説明します。

❶【印刷】ツールをクリックする

❷「印刷－モデル」ダイアログで、[ページ設定]の[名前]で「＜直前の印刷＞」を選択する

❸ 追加 をクリックする

※印刷前でも 追加 をクリックすればそのときの設定内容を保存できます。

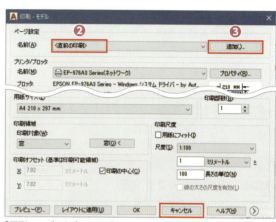

「印刷－モデル」ダイアログ

❹「ページ設定を追加」ダイアログで名前、たとえば＜A4_100＞とキーインしてから OK をクリックする

❺「印刷－モデル」ダイアログで キャンセル をクリックする（ダイアログを閉じる）

「ページ設定を追加」ダイアログ

6.1.4　印刷スタイルテーブル

　「とりあえず印刷してみる」（177ページ）で印刷してわかるように、一般のソフトと同じように印刷してほとんど問題がありません。しかしペンプロッタで印刷するときにはペン番号を線の太さと対応させなければなりません。あるいは基準線だけ赤で、ほかは黒で印刷したいといった場合があります。本書の範囲を超えますが線の端部の形や塗り潰しの濃淡などを変えたいというケースもあります。以上のような細々したことを「印刷スタイルテーブル」でコントロールできます。

　印刷スタイルには次の2種類があり、それぞれに「印刷スタイルテーブル」が用意されています。

● 色従属印刷スタイル（CTB）の「印刷スタイルテーブル」例
  ◆ カラー用＝ acad.ctb
  ◆ グレースケール用＝ Grayscale.ctb
  ◆ モノクロ用＝ monochrome.ctb

● 名前の付いた印刷スタイル（STB）の「印刷スタイルテーブル」例
  ◆ カラー用＝ acad.stb
  ◆ モノクロ用＝ monochrome.stb

AutoCAD LTのカラー用は「acadlt.ctb」または「acadlt.stb」で、ユーザーから見ると「acad」と同じ内容

1 色従属印刷スタイル(CTB)

「色従属印刷スタイル」は従来の印刷スタイルです。昔のAutoCADは、線の色にペンプロッタのペン番号がリンクしていました。すなわち線の太さを線の色で指定していました。モノクロで印刷するのが当然の時代はこの方式でよかったのですが、個人でもカラープリンターを買えるようになり、大型カラープロッタも珍しくない今では、線の太さを線の色で指定する方式は不都合があります。このため現在は線の色と線の太さはそれぞれ別個に指定できるようになっています。

「色従属印刷スタイル」は現在の方式はもちろんのこと昔の方式(色＝ペン番号)にも使えます。

2 名前の付いた印刷スタイル(STB)

1の色従属印刷スタイルのテーブルは色ごとに印刷スタイルを設定できるように、色の数(255色)の印刷スタイルが含まれています。しかし実際に使用する印刷スタイルはせいぜい数種類ですので、もっとシンプルな印刷スタイルのほうが使いやすいです。このため「名前の付いた印刷スタイル」が登場しました。

3 印刷スタイルの切り替え(参考)

2種類の印刷スタイルのどちらを使うかは「オプション」ダイアログで設定します。デフォルトは「色従属印刷スタイル」でこのままで問題ありませんが、「名前の付いた印刷スタイル」に切り替える方法を説明しておきます。なお「オプション」ダイアログを呼び出す方法は021ページにあります。

何らかのファイルが開いているものとします。

❶ 「オプション」ダイアログの《印刷とパブリッシュ》タブをクリックする
❷ 印刷スタイル テーブル設定 をクリックする
❸ 「印刷スタイルテーブル設定」ダイアログの[新規図面の既定の印刷スタイル]で2種類の印刷スタイルのどちらを使うかを設定する

印刷スタイルの種類を変更をしたときは新規ファイルのみにその設定が反映しますが、既存ファイルは変わりません。図面の作成に入ったら印刷スタイルの種類を変更することはほとんどありませんし、変更する理由も思いつきません。このため変更する方法はありますが、本書の範囲を超えるので説明を省略します。

なお上記は印刷スタイルについていえることで、個々の印刷スタイルテーブル(モノクロ用かカラー用かなど)は印刷時に簡単に変えられます。

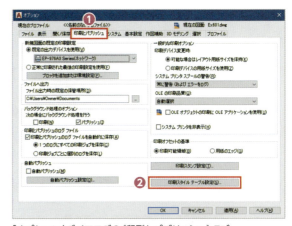

「オプション」ダイアログの《印刷とパブリッシュ》タブ

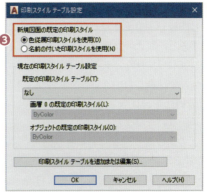

「印刷スタイルテーブル設定」ダイアログ
本書は「色従属印刷スタイル」を用いている

用意されている印刷スタイルテーブル

用意されている印刷スタイルテーブルは次の通りです（一部省略）。拡張子の「.stb」は名前の付いた印刷スタイルで、「.ctb」は色従属印刷スタイルです。

- acad.stb、acad.ctb
  標準の印刷スタイルテーブル
- Autodesk-Color.stb
  濃淡度の10%〜100%を10%ごとに用意
- Autodesk-Mono.stb
  濃淡度の10%〜100%を10%ごとに用意
- monochrome.stb、monochrome.ctb
  すべての色を黒で印刷
- Grayscale.ctb
  それぞれの色を最も近いグレーに変換して印刷
- Fill Patterns.ctb
  最初の9色が9つの塗り潰しパターンで印刷
- Screening 25%.ctb
  すべての色が25%の濃淡度で印刷
- Screening 50%.ctb
  すべての色が50%の濃淡度で印刷
- Screening 75%.ctb
  すべての色が75%の濃淡度で印刷
- Screening 100%.ctb
  すべての色が100%の濃淡度で印刷

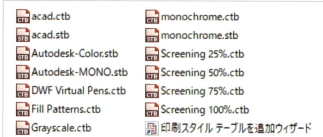

用意されている印刷スタイルテーブル
前ページの「印刷スタイルの切り替え」で使った「印刷スタイルテーブル設定」ダイアログにある 印刷スタイルテーブルを追加または編集 をクリックするとこのリストを見られる

6.1.5 印刷スタイルテーブルの内容

印刷スタイルテーブルの内容を見ると「印刷スタイルテーブルとは何か」がはっきりします。印刷スタイルテーブルのリストは上記コラム（「用意されている印刷スタイルテーブル」）にあるように「オプション」ダイアログ→「印刷スタイルテーブル設定」ダイアログからも呼び出せますが、ここではメニューを用います。

1 色従属印刷スタイルテーブル

まず色従属印刷スタイルテーブルの中身を見てみます。何らかのファイルが開いているものとします。

❶ アプリケーションメニューの［印刷］→［印刷スタイル管理］をクリックする

❶ アプリケーションメニュー

❷「Plot Styles」ウィンドウが開くのでリストにある「acad.ctb」をダブルクリックする

> AutoCAD LTの操作 「Plot Styles」ウィンドウの「acadlt.ctb」をダブルクリックする

❸「印刷スタイルテーブルエディタ」ダイアログの《フォーム表示》タブをクリックする

「Plot Styles」ウィンドウ

「acad.ctb」（AutoCAD LTは「acadlt.ctb」）には255の印刷スタイルがあります。つまりAutoCADのインデックスカラー（115ページ）255色の1色ごとに1つの印刷スタイルが対応しています。255の印刷スタイルのセットを「印刷スタイルテーブル」といいます。

オブジェクトの色が黒なら「色7」印刷スタイルが適用され、オブジェクトの色が赤なら「色1」印刷スタイルが適用されます。

「acad.ctb」のデフォルト設定を見ると全印刷スタイルの設定が同じで、このまま変更しないで使うと「印刷スタイルテーブル＝なし」と変わらなくなります。

印刷スタイルの各項目の意味を説明します。各項目を確認したら「印刷スタイルテーブルエディタ」ダイアログの キャンセル をクリックしてダイアログを閉じてください。なお、この項目の説明は「名前の付いた印刷スタイルテーブル」と共通です。

「印刷スタイルテーブルエディタ」ダイアログの《フォーム表示》タブ。《テーブル表示》タブは表示形式が違うものの内容は同じ

◆色

図形を何色で印刷するかを［色］で指定します。「オブジェクトの色を使用」を選択すれば図形の色がそのまま印刷されます。

◆ディザ

AutoCADに255色用意されていますが255色以外の色を使うことがあります（写真イメージを取り込んだ場合など）。このとき［ディザ］をオンにしていれば2つの色を混合して近い色を作ります。［ディザ］がオフならば255色でまかないます。

◆グレースケール

プロッタがグレースケールに対応しているなら色をグレーに変換します。この項目のデフォルトは「オフ」です。

◆ペン番号

ペンプロッタのペン番号です。デフォルトは「自動」です。

◆仮想ペン番号

ラスタープロッタでペンプロッタをシミュレートするときに使用するペン番号です。デフォルトは「自動」です。

◆濃淡度

濃淡度は色の彩度（インクの使用量）です。デフォルトは100％です。［ディザ］をオフにするとこの項目は無効になります。

◆線種

デフォルトは「オブジェクトの線種を使用」ですが、別の線種で印刷したいときにこの項目で指定します。

「線種」のリスト（一部）

◆適応調節

線種のパターン（線と空白の繰り返し）によっては線の端部に空白が位置して線が途切れたように見えます。これを回避するために［適応調節］を使います。これをオンにするとパターンのスケールを調整して線の端部に空白部が位置しないようにしてくれます。デフォルトは「オン」です。

線の端部に空白部あり
（適応調節＝「オフ」）

線の端部に空白部なし
（適応調節＝「オン」）

◆線の太さ

線の太さをオブジェクトの線の太さと別の太さに変えられます。デフォルトは「オブジェクトの線の太さを使用」です。

◆端部のスタイル

［端部のスタイル］とは線の端部の形のことで図のような種類が用意されています。一般に図面の場合は線の端部の形を意識しなくてもよいのですが、端部の形が見えるような太い線を用いるときにこの項目を使用します。丸型にすると全体に柔らかな感じになり、角型を使うときりっと締まって見えます。

端部スタイル

◆結合スタイル

［結合スタイル］とは線と線との結合部のスタイルです。これも太い線のときに使います。図のような種類が用意されています。

結合スタイル

◆塗り潰しスタイル

［塗り潰しスタイル］とはハッチングの「塗り潰し」（072ページ）で塗り潰した部分の印刷時のスタイルで、図のようなパターンが用意されています。

塗り潰しスタイル

2 名前の付いた印刷スタイルテーブル

名前の付いた印刷スタイルテーブルの中身も見てみます。何らかのファイルが開いているものとします。

❶ アプリケーションメニューの[印刷]→[印刷スタイル管理]をクリックする

❶ アプリケーションメニュー

❷「Plot Styles」ダイアログで、例としてリストにある「acad.stb」をダブルクリックする

> AutoCAD LTの操作 「Plot Styles」ウィンドウの「acadlt.stb」をダブルクリックする

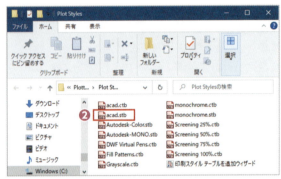

「Plot Styles」ウィンドウ

❸「印刷スタイルテーブルエディタ」ダイアログの《フォーム表示》タブをクリックする

❹《フォーム表示》タブの内容を確認したら、「印刷スタイルテーブルエディタ」ダイアログの キャンセル をクリックする(ダイアログを閉じる)

「Normal」(標準)と「Style 1」の2つの印刷スタイルがある

この内容は色従属印刷スタイルテーブルと同じ

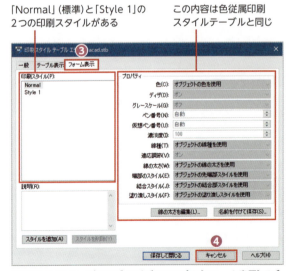

「印刷スタイルテーブルエディタ」ダイアログの《フォーム表示》タブ

6.1.6 印刷スタイルテーブルの編集と割り当て

色従属印刷スタイルテーブルを使っている場合はオブジェクトの色で印刷スタイルが決まりますが、名前の付いた印刷スタイルテーブルを使っているときは個々の画層に印刷スタイルを割り当てます。

ここでは名前の付いた印刷スタイルテーブルの編集方法を説明します。例題として基準線（通り芯線）だけ赤で印刷し、ほかの図形を黒で印刷してみます。まず印刷スタイルテーブルを編集し、そのあと画層に印刷スタイルを割り当てます。

> 練習用データは「7days_2022」フォルダの中の「Day6」フォルダの中にある「Ex602.dwg」です。印刷スタイルに「名前の付いた印刷スタイル」を設定し、印刷のページ設定に「A4-100-mono」を用意しています。

1 印刷スタイルテーブルの編集
❶【印刷】ツールをクリックする

 ❶【印刷】ツール

❷「印刷」ダイアログの[ページ設定]の[名前]で「A4-100-mono」を選択する
❸[印刷スタイルテーブル]の[編集]ボタンをクリックする

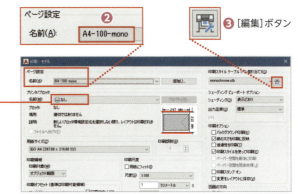

［プリンタ／プロッタ］の［名前］が「なし」なのでこのままでは印刷できない。印刷するときはプリンタ／プロッタを選択する

「印刷」ダイアログ

❹「印刷スタイルテーブルエディタ」ダイアログで《テーブル表示》タブになっているのを確認してから、 スタイルを追加 をクリックする
※テーブル表示では自動的に「スタイル2」ができますが、フォーム表示ではスタイルの名前の入力ウィンドウが開きます。

❺新たに「スタイル2」ができるので、[色]が「オブジェクトの色を使用」になっているのを確認する
❻ 保存して閉じる をクリックする
❼「印刷」ダイアログで キャンセル をクリックする

以上で新しい印刷スタイルテーブル、スタイル2(カラー)を持つ「monocchrome.stb」ができました。

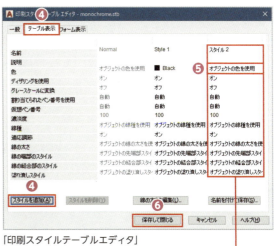

「印刷スタイルテーブルエディタ」ダイアログ　　新しくできた「スタイル2」

2 印刷スタイルを画層に設定する

「名前の付いた印刷スタイルテーブル」は個々の印刷スタイルを画層に設定しますが、この例ではGuide画層だけ設定し、ほかはデフォルト（「Style 1」＝モノクロ）のままにします。

❶【画層プロパティ管理】ツールをクリックする

❷ 画層プロパティ管理パレットで、Guide画層の［印刷スタイル］欄をクリックする

❶【画層プロパティ管理】ツール

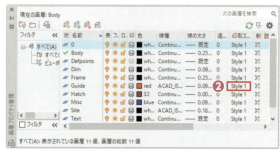

画層プロパティ管理パレット（図は❸まで実行したあと）

❸「印刷スタイルを選択」ダイアログで、「スタイル 2」をクリックしてから OK をクリックする

❹ 画層プロパティ管理パレットを閉じる

以上で画層への印刷スタイルの設定が終わったので印刷してみます。基準線（通り芯線）だけ赤色で印刷されることを確認してください。

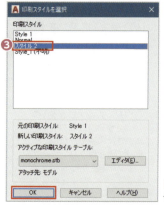

「印刷スタイルを選択」ダイアログ

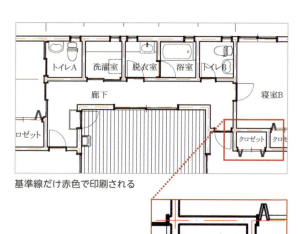

基準線だけ赤色で印刷される

6.1.7 印刷時の線の太さ

　印刷の出力結果に大きく影響するのは色と線の太さです。色のほうは印刷スタイルテーブルで色を黒（Black）にしておけばすべて黒色になります。線の太さは印刷スタイルテーブルのデフォルト設定「オブジェクトの線の太さを使用」を使うのが普通です。そして画層プロパティ管理パレットで画層ごとに線の太さを設定します。

　線の太さとして0.05mm、2.21mmまで20以上用意されています。このほかに0.00mmとDefault（0.254mm）があります。0.00mmは使用しているプリンタ／プロッタで出力できる最も細い線です。

　実際に印刷してみると線の太さは微妙に異なります。異なる要因はプリンタ／プロッタの機種、その機器の印刷設定および用紙などです。また20以上の線の太さを見分けられるように印刷されるかというとそんなことはありません。インクジェットプリンタの最新機種でも、たとえば0.05mmと0.09mmは同じ太さで印刷されるといったように、半分以下の数になります。

　線の太さは出力図面の質にとって重要な要素ですが、自分が使っているプリンタ／プロッタではどのように出力されるかを知らなければ、どの太さの線を使うか判断できません。そこで印刷テスト用のデータを用意しました。

　「Ex603.dwg」は縮尺が1/1でA4判（横）用紙の範囲に入るように作図しています。線の横にある数値は線の太さ（mm）を示しており、用紙枠の線の太さはDefaultです。

　線の太さを表示させるには作図補助ツールの【線の太さの表示／非表示】をオンにする必要がありますがデフォルトではこのボタンが表示されていないので、表示させます。

 練習用データは「7days_2022」フォルダの中の「Day6」フォルダの中にある「Ex603.dwg」です。

❶ 作図補助ツールの右端にある［カスタマイズ］をクリックする
❷ リストで［線の太さ］を選択し、チェックを入れてオンにする
❸ 作図ウィンドウの任意の位置をクリックしてリストを閉じる

Ex603.dwg

❶［カスタマイズ］

❷ 線の太さ

❹【線の太さを表示／非表示】

❹ 作図補助ツールの【線の太さの表示／非表示】をオンにする

作図補助ツールの[線の太さを表示／非表示]は線の太さの表示／非表示の切り替えボタンです。[線の太さ]をオンにしても、モデルタブ (189ページ) では0.30mm未満の線は同じ太さに表示されますし0.3mm以上の太線も汚く表示されます。

しかしレイアウトではかなり正確に線の太さを表示しますし、画面を拡大するとそれにつれて線も太く表示されます。これを試してみます。

❶《Layout1》タブをクリックする
❷画面拡大して線の太さがどう表示されるかを観察する
❸《モデル》タブをクリックする
❹A4判用紙に印刷して結果を観察する

用紙によって結果は驚くほど異なることがあります。とくに染料インクのインクジェットプリンタで普通紙を使うと、インクの染み込みが多く線が太目になりますし、線のエッジがすっきりしません (気候によっても異なる)。

印刷した結果をよく観察してください。12種類の線がありますが同じ太さで印刷されているものがあると思います。この結果から製図に使用する極細線、細線、中線、太線を選択します。筆者の場合は次のように選択しました。
◆極細線　0.05mm (または0.00mm)
◆細線　　0.09mm
◆中線　　0.18mm
◆太線　　0.25mm
線の太さは画層に設定するのが普通です。たとえば寸法の画層は細線、ハッチングの画層は極細線というように設定します。そして特別なオブジェクトだけ個別に線の太さを変えます (117ページ)。

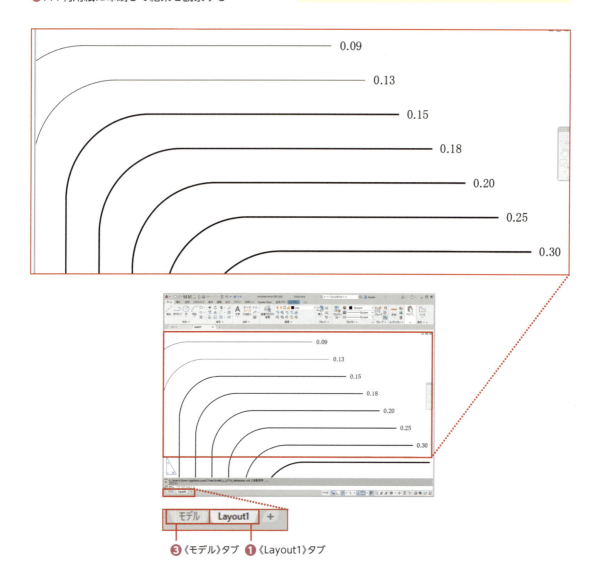

❸《モデル》タブ　❶《Layout1》タブ

188

6.2 モデルタブとレイアウトタブ

　AutoCADには作図をするためのモデル空間と、印刷用のペーパー空間があります。そして《モデル》タブにはモデル空間が表示され、《レイアウト》タブにはペーパー空間（とモデル空間）が表示されます。

　本書はこれまで《モデル》タブだけで操作しました。これは用紙枠の線を描き用紙枠の内側だけに作図をすればできることです。一般の製図はこの方法、すなわち《レイアウト》タブを使わない方法で印刷を含めてたいていのことができますし、AutoCAD以外のCADと同じ感覚で使えるので理解しやすいというメリットもあります。

　もともとAutoCADは原寸型のCADで、印刷のときに用紙サイズと縮尺を決めればよいという自由度の高いCADです。建築図面なら平面図、立面図、詳細図などを1つのモデル空間で作図し、印刷するときに自由にレイアウトして印刷できます。このとき使うのが《レイアウト》タブとペーパー空間です。

　自由度の高いCADと書きましたが、自由度が高いということはユーザーにとってうれしい反面、きちんと理解するためには努力が必要です。モデルとレイアウトも、これらの違いを知らないと何がなんだかわからない部分です。

　最近は小規模なプロジェクトでもほかの設計組織と協同して設計しますので、日常的に図面の受け渡しが行われています。このためレイアウトを使っている図面が届くこともあります。そんなときにレイアウトが何であるかを知らないと手も足もでません。そこでレイアウトから練習します。

6.2.1 レイアウトを設定する

　建築設計で画層を利用して1階平面図を2階平面図を同じ位置に描くとミスを減らせます。さらに、この2つの平面図を並べて印刷できればとても便利です。

練習用データは「7days_2022」フォルダの中の「Day6」フォルダの中にある「Ex604.dwg」です。この図面はA3判、縮尺1/100の建築平面図です。

1 準備

❶ アプリケーションメニューの［オプション］をクリックする

※「オプション」ダイアログを呼び出す方法は021ページにあります。

❷「オプション」ダイアログで《表示》タブをクリックする

❸［新規レイアウトに対して［ページ設定管理］を表示］がオフ（チェックなし）になっているのを確認する

❹［新規レイアウトにビューポートを作成］のチェックを外してオフにする

※練習のためにオフにします。

❺ OK をクリックする

「オプション」ダイアログの《表示》タブ

> レイアウトタブをクリックしたとき、「ページ設定」のダイアログが開いたり自動的に「ビューポート」が設定されるのは便利ですが、レイアウトの仕組みがわかりにくくなります。このためこれらの機能をオフにしました。

2 ページ設定をする

「Ex604.dwg」はA3判、縮尺1/100で描いてますが、印刷はA1判、縮尺1/100で出力すると想定します。

❶《レイアウト1》タブをクリックする

❷レイアウト画面が開いたら、リボンの《レイアウト》タブの【ページ設定管理】ツールをクリックする

❷【ページ設定管理】ツール
❷《レイアウト》タブ

❸「ページ設定管理」ダイアログの[現在のページ設定]で「レイアウト1」が選択されていることを確認し、修正 をクリックする

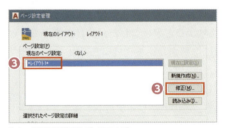

「ページ設定管理」ダイアログ

❹「ページ設定」ダイアログの[プリンタ/プロッタ]の[名前]で「なし」を選択する

❺[印刷スタイルテーブル]で「monochrome.ctb」を選択する

❻[用紙サイズ]で「ISO A1（594.00×841.00ミリ）」を選択する

❼[尺度]で「1：1」を選択する

❽[印刷オプション]の[線の太さを印刷に反映]にチェックを入れる

❾[印刷オプション]の[印刷スタイルを使って印刷]にチェックを入れる

❿[図面の方向]で[横]を選択する

⓫ OK をクリックする

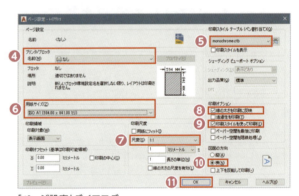

「ページ設定」ダイアログ

⓬「ページ設定管理」ダイアログの 閉じる をクリックしてレイアウト画面に戻る

⓭【オブジェクト範囲ズーム】ツールをクリックして全体が見えるようにする

【オブジェクト範囲ズーム】ツール

まだビューポートがないので図面は表示されない

> 練習のためにプリンタ/プロッタの「名前」を「なし」にしていますが、実務で運用するときは使用するプリンタ/プロッタの名を選択します。

> レイアウトでは縮尺を原寸（1:1）にするのが普通です。

6.2 モデルタブとレイアウトタブ

3 ビューポートを作成する

準備が終わったのでレイアウトにビューポートを作成します。

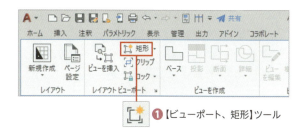

❶リボンの《レイアウト》タブの【ビューポート、矩形】ツールをクリックする
❷<**2**>を入力する（2分割）
❸<**v**>を入力する（縦）
❹ スペース キーを押す（フィット）
※以上でビューポートが2つでき、両方に平面図が表示されます。

> ビューポートはオブジェクトの一種なので、選択、削除、移動などができます。

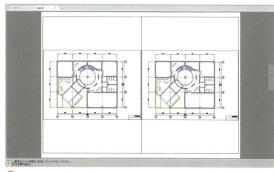

❹ ビューポートが2つできた

❺ステータスバーの【モデル／ペーパー】をクリックして[モデル]にする
❻右側のビューポート内（任意の位置）をクリックして枠が太く表示されるのを確認する
❼作図補助ツールの【ビューポート尺度】をクリックして「1:100」を選択する
❽作図補助ツールの【ビューポートのロック】をクリックしてロックする

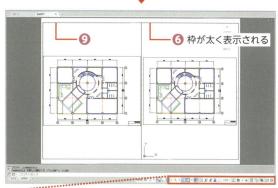

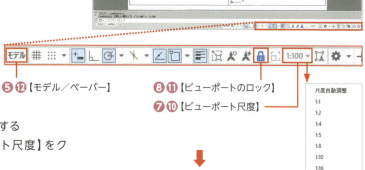

❺❿【モデル／ペーパー】
❽⓫【ビューポートのロック】
❼❿【ビューポート尺度】

❾左側のビューポート内をクリックする
❿作図補助ツールの【ビューポート尺度】をクリックして「1:100」を選択する
⓫作図補助ツールの【ビューポートのロック】をクリックしてロックする

> ビューポートのビューをロックすると右側の【ビューポート尺度】（ここでは「1:100」）が暗く表示され、ロックされたことがわかります。
> ビューポートのビューをロックしておけば、ビューポート尺度が変わるようなミスを防げます。

6日目 印刷とデータ変換

191

⓬ステータスバーの【モデル／ペーパー】をクリックして［ペーパー］にする

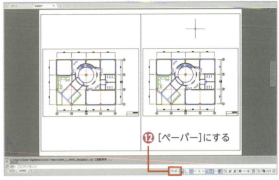

⓬［ペーパー］にする

結果

4 画層の設定などをする

前項で作った2つのビューポートに表示されているのは1階と2階が重なった平面図です。これから画層を設定して1階／2階それぞれの平面図にします。そのあと図面枠を描いてタイトル文字列を記入します。

前項の操作を終えた練習用データ「Ex605.dwg」を用意してあるので、これを開いて次の操作をします。

 練習用データは「7days_2022」フォルダの中の「Day6」フォルダの中にある「Ex605.dwg」です。

❶ステータスバーの【ペーパー／モデル】をクリックして［モデル］にする
❷左側のビューポート内をクリックして選択する
❸《ホーム》タブの［画層］をクリックし、「2F_Body」「2F_Misc」「2F_sash」「Frame」の4画層の「現在のビューポートでフリーズまたはフリーズ解除」欄をクリックしてフリーズする
※現在画層は「0」画層のままにします。

❹右側のビューポート内をクリックして選択する
❺［画層］をクリックし、「1F_Body」「1F_Misc」「1F_Sash」「Frame」「Site」の5画層の「現在のビューポートでフリーズまたはフリーズ解除」欄をクリックしてフリーズする

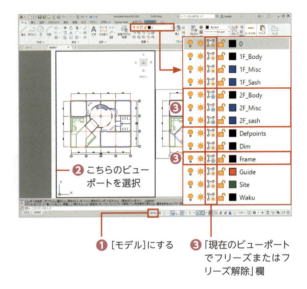

❷こちらのビューポートを選択
❶［モデル］にする
❸「現在のビューポートでフリーズまたはフリーズ解除」欄

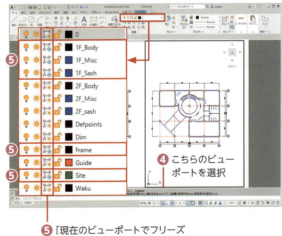

❹こちらのビューポートを選択
❺「現在のビューポートでフリーズまたはフリーズ解除」欄

❻ ステータスバーの【モデル／ペーパー】をクリックして[ペーパー]にする
❼ [画層]で「Waku」画層を現在画層にする
❽ [画層]で「0」画層をフリーズする
❾ 【長方形】ツールで図面枠の線を描く
❿ 【文字記入】ツールをクリックする
⓫ 図のようにタイトル「**1階平面図 S＝1/100**」と「**2階平面図 S＝1/100**」を記入する。このとき文字の高さを4mmにする

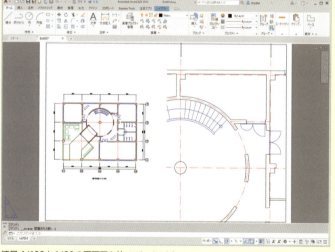

❼ 「Waku」画層を現在画層にする
❾ 図面枠の線
⓫ タイトル
結果
❻ [ペーパー]にする

> 図面枠のサイズはここでは任意ですが、もし正確に描きたいなら801×554mmのサイズにします。これはA1判（841×594）から周囲20mmを差し引いたサイズです。もし綴じ代を付け足したいならその部分（普通は左側）に5mmを加えて25mm差し引いてください。

> ペーパー空間に描いた図形や文字はそのレイアウトにのみ現れます。

> ビューポートの枠線はビューポートを作成したときの現在画層にあります。枠線用画層を作り、この画層に枠線を移動して画層を非表示にすれば、ビューポートの線が見えなくなります。

> 本例は同じ縮尺の図面を並べましたが、異なる縮尺、たとえば平面図とディテールを1枚のレイアウトに納めるといったことができます。

縮尺 1/100と1/20の平面図を並べてレイアウト

6.3 データ変換

　データ変換は今や日常的に行われていますが、すんなりと変換できないこともあり、創造的な仕事でもないので憂鬱な作業です。
　幸いAutoCADは世界でもっとも使われているCADなので、そのデータは世界の標準形式といわれてます。そしてAutoCADのデータ形式「DWG」を直接読み書きできるCADも増えてきました。それでもデータ変換では、たいていの場合は何らかの問題が発生します。そのためここでの説明も、こうすれば絶対にデータ変換が成功するというものではなく、変換効率を少しでも上げるためにはどうすればよいのか、あるいは根本的なミスをしないためにはどうすればよいのかの基本知識を得るためのものです。

6.3.1 AutoCADから出力できるファイル形式

　まずAutoCADで出力できるファイル形式を紹介します。ファイル形式はファイル名の拡張子で判別できます。たとえば「Ex602.dwg」というファイル名ならドットの後ろの3文字「dwg」がファイル形式を表し、「拡張子」といいます。これは大文字でも同じで「DWG」ファイルと呼んでいます。
　DWGのほかにもAutoCADから出力できるファイル形式がたくさんあります、そこで主なものを簡単に紹介します。

1 DWG（ディー・ダブル・ジー）

　DWGはAutoCADの図面の標準ファイル。標準ファイルのことをネイティブ（native：本来の、生まれたままの）ファイルともいいます。

2 DXF（ディー・エックス・エフ）

　DXF（drawing interchange format）は異なるCADとのデータ受け渡しに用いられるファイル形式ですが、後で説明するように必ずデータを受け渡しができるという保証はありません。

3 DWF（ディー・ダブル・エフ）

　DWF（drawing web format）はWeb形式図面で、インターネットのホームページに図面を公開するときに使います。

4 DWT（ディー・ダブル・ティ）

　DWTはAutoCADのテンプレートファイルです。テンプレート（template：型板）ファイルとは図面枠やタイトルなど定型部分をあらかじめ描いたデータファイルのことで、このファイルを呼び出して図面を描き始めるのがAutoCADの普通の使い方です（039ページ）。

5 WMF（ダブル・エム・エフ）

　WMFはWindows用メタファイルで、画像（ラスターデータ）とCADのようなベクトルデータの両方のデータを保存できます。ドローソフトでプレゼンテーション用図面に仕上げるときなどに用います。

6 EPS（イー・ピー・エス）

　EPS（Encapsulated PostScript）はDTP（出版の各作業の電子化）で使われるファイル形式です。EPSファイルにする主な目的はAdobe Illustratorで読み込めるようにするためでしたが、現在のAdobe IllustratorはDWGファイルを直接読み込めるのでEPSにする必要はありません。

7 画像ファイル（ラスターファイル）

CADはベクトルデータを作成するソフトなので画像ファイルに変換しても用途が限られています。

それでもAutoCADはたくさんの画像ファイル形式に変換できます。JPEG、BMP、TGA、TIFF、PNGなどです。これらはデフォルトのメニューにないため、わかりにくくなっています。

以上がAutoCADから出力できるファイル形式です。このほかによく使われるファイル形式としてPDFファイルがあります。

8 PDF（ピー・ディー・エフ）

PDF（Portable Document Format）ファイルは印刷イメージをそのままファイル化したもので、ネットで配布する文書、マニュアルやプレゼンテーションなどに広く使われています。WindowsやMacなど、どのシステムでも作成・閲覧できます。閲覧用に「Adobe Acrobat Reader DC」が無料で配布されています。

PDFファイルを作成するために、AutoCADにはPDF出力用ドライバ「AutoCAD PDF(○○○).pc3」（200ページ）が標準装備されています。

6.3.2 DWG

DWGはAutoCADの標準ファイル形式です。

AutoCADで作図し、そのデータを普通に保存すればDWGファイルになります。DWGファイルのファイル形式はバイナリーファイルなので中身を見ようとしても簡単には見られませんし、データ構造は公開されていません。

1 DWGファイルのバージョン

DWGファイルは1種類かというとそうではなくAutoCADのバージョンによって異なります。そこでAutoCADの各バージョンから出力できるDWGファイルを表にまとめてみました。DXFファイルもDWGファイルと双子の兄弟といってもよいほど近い関係にあるので表に加えています。

	R12 (LT2)	R13 (LT95)	R14 (LT97・LT98)	2000 (LT2000)	2004 (LT2004)	2007 (LT2007)	2010 (LT2010)	2013 (LT2013)	2018 (LT2018)
AutoCAD 2000	DXF	DWG・DXF	DWG・DXF	DWG・DXF	×	×	×	×	×
AutoCAD 2000i	DXF	DWG・DXF	DWG・DXF	DWG・DXF	×	×	×	×	×
AutoCAD 2002	DXF	DWG・DXF	DWG・DXF	DWG・DXF	×	×	×	×	×
AutoCAD 2004	DXF	×	×	DWG・DXF	DWG・DXF	×	×	×	×
AutoCAD 2005	DXF	×	×	DWG・DXF	DWG・DXF	×	×	×	×
AutoCAD 2006	DXF	×	×	DWG・DXF	DWG・DXF	×	×	×	×
AutoCAD 2007	DXF	×	DWG	DWG・DXF	DWG・DXF	DWG・DXF	×	×	×
AutoCAD 2008	DXF	×	DWG	DWG・DXF	DWG・DXF	DWG・DXF	×	×	×
AutoCAD 2009	DXF	×	DWG	DWG・DXF	DWG・DXF	DWG・DXF	×	×	×
AutoCAD 2010	DXF	×	DWG	DWG・DXF	DWG・DXF	DWG・DXF	DWG・DXF	×	×
AutoCAD 2011	DXF	×	DWG	DWG・DXF	DWG・DXF	DWG・DXF	DWG・DXF	×	×
AutoCAD 2012	DXF	×	DWG	DWG・DXF	DWG・DXF	DWG・DXF	DWG・DXF	×	×
AutoCAD 2013	DXF	×	DWG	DWG・DXF	DWG・DXF	DWG・DXF	DWG・DXF	DWG・DXF	×
AutoCAD 2014	DXF	×	DWG	DWG・DXF	DWG・DXF	DWG・DXF	DWG・DXF	DWG・DXF	×
AutoCAD 2015	DXF	×	DWG	DWG・DXF	DWG・DXF	DWG・DXF	DWG・DXF	DWG・DXF	×
AutoCAD 2016	DXF	×	DWG	DWG・DXF	DWG・DXF	DWG・DXF	DWG・DXF	DWG・DXF	×
AutoCAD 2017	DXF	×	DWG	DWG・DXF	DWG・DXF	DWG・DXF	DWG・DXF	DWG・DXF	×
AutoCAD 2018	DXF	×	DWG	DWG・DXF	DWG・DXF	DWG・DXF	DWG・DXF	DWG・DXF	DWG・DXF
AutoCAD 2019	DXF	×	DWG	DWG・DXF	DWG・DXF	DWG・DXF	DWG・DXF	DWG・DXF	DWG・DXF
AutoCAD 2020	DXF	×	DWG	DWG・DXF	DWG・DXF	DWG・DXF	DWG・DXF	DWG・DXF	DWG・pc3
AutoCAD 2021	DXF	×	DWG	DWG・DXF	DWG・DXF	DWG・DXF	DWG・DXF	DWG・DXF	DWG・DXF
AutoCAD 2022	DXF	×	DWG	DWG・DXF	DWG・DXF	DWG・DXF	DWG・DXF	DWG・DXF	DWG・DXF

※R○○の"R"は「アール」と読む。Rはリリース（release）のことで「バージョン」とほぼ同じ意味
※「DXF」はDXFファイルのみ出力できる（DWGは出力できない）
※「DWG・DXF」はDWGファイルとDXFファイルの両方を出力できる

2 DWG ファイルで出力する方法

　DWGファイルを出力（保存）するには、【上書き保存】ツールかアプリケーションメニューの［上書き保存］を使いますが、DWGのバージョンを指定して保存するには【名前を付けて保存】ツールかアプリケーションメニューの［名前を付けて保存］を使います。このツールをクリックすると「図面に名前を付けて保存」ダイアログが開くので［ファイルの種類］でバージョンを指定します。

【上書き保存】ツール
【名前を付けて保存】ツール

DWG、DXF、DWTなど16種類のファイル形式から保存するファイルの種類を選択できる。DWS（標準仕様図面）はDWTと似た目的のものであるが本書の範囲を超えるので説明を省略する

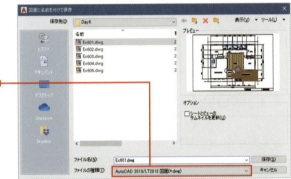

「図面に名前を付けて保存」ダイアログ

3 DWG ファイルのバージョンを知る方法

　何種類バージョンがもあるDWGですが、いずれも拡張子が"DWG"なのでファイル名では区別できません。またバイナリーファイルなので中身を見られません。しかしテキストエディタ（たとえばWindowsの「メモ帳」）やワープロソフトで開くと、表示される先頭の文字列でDWGファイルのバージョンを判別できます。

「メモ帳」で「Ex604.dwg」を開こうとしているところ

「すべてのファイル」を選択する

表示される先頭の文字列	DWGファイルのバージョン
AC1032	2018
AC1027	2013
AC1024	2010
AC1021	2007
AC1018	2004
AC1015	2000
AC1014	R14（LT97、LT98）
AC1012	R13（LT95）

表示される先頭の文字列とDWGファイルのバージョンの関係

「メモ帳」で「Ex604.dwg」を開いたところ。先頭に「AC1027」とあるのでDWGのバージョンは「2013」とわかる

196

4 ほかのCADにDWGファイルを読み込ませるときの注意点

　AutoCADのDWGファイルをほかのCADに読み込ませるためには知識と経験が必要です。しかし具体的な例を取り上げてもきりがないので、ここでは注意点を記します。

◆図形

　線分や長方形などの図形はたいてい問題なく読み込めます。

◆寸法

　寸法は寸法線の矢印、文字など寸法スタイルをそのまま読み込ませるのは無理なので、先方のCADで調整することになります。それでも駄目なときは、あらかじめAutoCADの【分解】ツールで寸法を線と文字に分解しておきます。

◆文字

　【文字記入】ツールで記入した文字列はよいのですが、【マルチテキスト】ツールで記入した文字列は読み込めない場合があります。

◆ハッチング

　ハッチングは読み込めなかったり、読み込めたとしても形が崩れることがあります。そのようなときは、あらかじめAutoCADの【分解】ツールで線分に分解しておきます。

◆ブロック

　ブロックが読み込めないときは、あらかじめAutoCADの【分解】ツールで図形に分解しておきます。

◆線種

　線種のパターン（線分と空白部の並び）がそのまま読み込めることは期待できません。そこで先方のCADの線種パターンで設定をやり直します。

◆引き出し線

　引き出し線が読み込めないときは、あらかじめAutoCADの【分解】ツールで線分と文字に分解しておきます。

◆塗り潰しとワイプアウト

　塗り潰しとワイプアウトは面図形なので面図形を扱えるCADでないと読み込めません。

◆レイアウト

　レイアウトはAutoCAD独特の仕組みです。レイアウトと同じような機能を持っているCADはまれで、レイアウトは読み込めないのが普通です。

　以上問題点を並べましたが、問題点がわかれば解決策も見つけやすくなります。しかし、AutoCADと相手先のCADの両方をよく知らないと対応できません。データ変換機能があるからといって完全なものはなく、たいてい問題があります。そのためデータ変換の仕事を気楽に引き受けるのはやめたほうがよいです。

　いろいろ書きましたが、相手先のCADが決まっていて変換できることが確認できているなら、ここで書いた注意点を無視してかまいません。せっかくのAutoCADの機能を犠牲にして使うことはありません。

6.3.3 DXF

　最近はDWGファイルを読み込めるソフトが増えていますが、まだDXFファイルをデータ変換用ファイルとして使う場合があるので簡単に説明します。
　DXFファイルはもともとAutoCADユーザーがAutoCADのデータを活用するときに便利なようにとオートデスク社が開発したファイル形式で、ほかのCADとのデータ交換のために考え出されたものではありません。そのためDXFを用いてもほかのCADとの変換が完全にうまくいくとの保証はなく、実情からすると図形だけでも変換できればそれでよしとして諦めなければならないこともあります。

❶ DXFファイルで出力する方法

　DXFファイルを出力するのは簡単です。

❶【名前を付けて保存】ツールをクリックする

❷「図面に名前を付けて保存」ダイアログの［ファイルの種類］で保存したいバージョンのDXFを選択する

❸任意のファイル名をつけて 保存 をクリックする

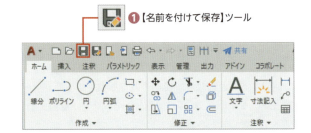
❶【名前を付けて保存】ツール

❷ここでDXFファイルのバージョンを選択する

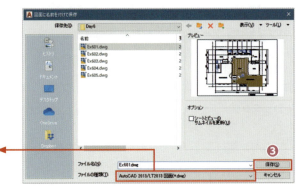
「図面に名前を付けて保存」ダイアログ

❸ DXFファイルのバージョンを知る方法

　DXFファイルはテキストファイル（ASCIIファイル）なのでテキスト用エディターやワープロで中身を見ることができます。中身を見てみます。
　図はDXFファイルをWindowsの「メモ帳」で開いたところです。DXFファイルはセクション（Section）に分かれており、最初の部分はヘッダーセクションと呼んでいるところで、各設定が変数とその値という形で書かれています。
　ヘッダーセクションの6行目に「$ACADVER」とあり、1行おいて「AC1032」とあります。これはDWGのときと同じくDXFのバージョンを表しています（195ページ）。AC1032はバージョン2018の

DXFファイルという意味です。「$ACADVER」のように頭に「$」がつくのは変数で「AC1032」は「$ACADVER」の値です。

DXFファイルをWindows 10の「メモ帳」で開いたところ

4 DXFファイルの留意点

最近のCADはDXG／DXFの読み込みの機能が向上し、まったく読み込めないということはあまりありません（ただし3D-CAD／CGソフトでは読み込めないことがあります）。

なおほかのCADでDXFファイルを読み込む場合、DWGとまったく同じ問題点があります（197ページ）。

6.3.4 DWF

DWF（Drawing Web Format）は「Web形式図面」とも呼ばれ、主にインターネットのホームページ上で図面を公開するために開発されたファイル形式です。

一般にホームページに写真やイラストを掲載するときは画像ファイルにします。図面を画像ファイルに変換できますが画像ファイルは点（小さな四角形）のかたまりで表現しますので拡大すると粗く見えます。このため図面を画像ファイルにするのはやめたほうがよいです。

ホームページなどにAutoCADの図面を掲載するならPDFかDWFに変換して掲載します。最近はPDFを使用することがほとんどでDWFを見ることは筆者の場合ほとんどありません。このためDWFを作成するときに使うコマンドの位置だけ示し、詳細については説明を省略します。

> アプリケーションメニューの[書き出し]には[DWF]と[DWFx]があります。「DWFx」は マイクロソフト社のXPS（XML Paper Specification）ファイル形式を基盤に開発された新しいDWFファイルです。「DWFx」ならMicrosoft Office Wordに直接貼り込めるなどMicrosoft Officeと相性がよいです。

アプリケーションメニューの[書き出し]→[DWF]でDWFファイルを作成する

6.3.5 PDF

　PDFファイルは印刷イメージをファイル化するものと考えると理解しやすいです。AutoCADでPDFファイルは【印刷】ツールで作成します。手順は「6.1.2 とりあえず印刷してみる」(177ページ)と同じですが、違うのは❷で[プリンタ/プロッタ]の[名前]で「AutoCAD PDF (○○○)」のいずれかを選択します。(○○○)は目的に合わせて選びますが、筆者は「(High Quality Print)」を使っています。

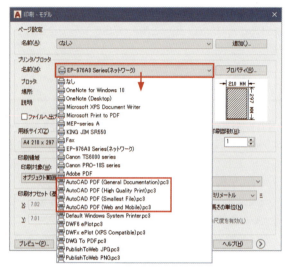

「印刷－モデル」ダイアログ

　図は作成したPDFファイルを「Adobe Acrobat Reader DC」(無料)で開き、注釈機能でマークアップ(赤入れ)したところです。

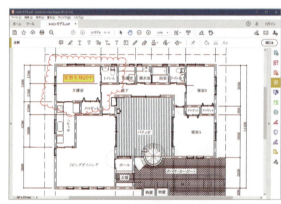

Adobe Acrobat Reader DCで開き
マークアップをしているところ

6.3.6 ビューワー

　最新のAutoCADがあればDWGファイルとDXFファイルを開いて編集できますが、AutoCADがない場合は開けないので閲覧もできません。たとえば設計の依頼者(クライアント)に図面を見てもらいたいときは印刷して渡すか、前項のようにPDFファイルを作成してメールで送るといった方法が普通です。
　ではDWGファイルやDXFファイルをAutoCADなしで閲覧する方法はないのかと疑問を持つと思います。これからこの疑問に対してお答えします。閲覧に使用するソフトをビューワーといいます。DWGファイルのビューワーの代表的なものとしてオートデスク社が無料で公開している「Autodesk DWG Trueview」(以下、「DWG Trueview」)があります。そのほかにもいくつかビューワーを紹介します。

1 DWG TrueView

　DWG TrueViewはAutoCADの開発元のオートデスク社のサイトからダウンロードします。DWG TrueViewの使い方はAutoCADととても似ています。リボンの配色パターンを明るくしたり、画面を白バックにする方法は021ページで説明した方法と同じです。

　DWG TrueViewはDWGファイルを閲覧するのに用いますが、DWGファイルのバージョンを変えるときにも使えます。たとえば「使っているAutoCADが古いバージョンなのに、受け取ったDWGが最新版で開けない」場合、DWG TrueViewで開いてDWGの古いバージョンに変換することができます。

❶【DWG変換】ツールをクリックする

「dwg trueview」で検索し、検索結果から「Autodesk DWG TrueViewを無料ダウンロード」にアクセスしたところ

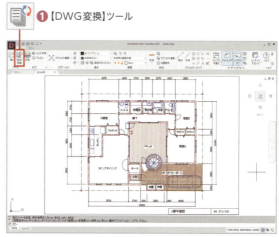

DWG TrueView 2022の画面
リボンには印刷用ツールや計測用ツールなどがある。しかしマークアップ（赤入れ）はできない

❷「DWG変換」ダイアログで次のように操作する
　　◆［ファイルを追加］ボタンをクリックして変換したいDWGファイルを選択する
　　◆［変換設定を選択］で変換後のDWGのバージョン（195ページ）を選択する
　　◆ 変換 をクリックする

　画面に変化はありませんが、DWGファイルのバージョンが変わり古いバージョンのAutoCADでも開けるようになります。変換したら 閉じる をクリックして「DWG変換」ダイアログを閉じます。

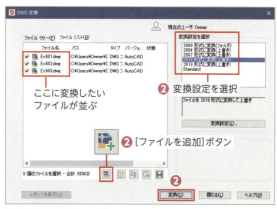

「DWG変換」ダイアログ

❷ Autodesk Design Review

「Autodesk Design Review」(以下「Design Review」と略す)もオートデスク社のサイトからダウンロードできる無料のビューワーです。ただオートデスク社のサイトの説明ではDWG、DXF、DWFなどのファイルを開けると書いてありますが、筆者が試したところ2021年4月時点で実際に開けるのはDWFファイルだけです。このためDesign ReviewはDWFファイル用のビューワーだと筆者は思っています。

Design ReviewでDWFファイルを開いたところ。マークアップ(赤入れ)もできる

❸ Autodesk Viewer

Autodesk Viewerはインターネットのオンラインのビューワーです。DWG／DXFはもちろんのこと、他社製の2D／3D-CADのファイルも表示できます。

「Autodesk Viewer」で検索すればすぐにアクセスでき、何もインストールせずに利用できます。ただしAutodeskのIDが必要なので、もしIDがなければあらかじめ取得してください(無料)。使い方は簡単でパソコンにあるデータをアップロードすればDWGファイルが表示され、マークアップもできます。マークアップ結果を保存してURLを取得すれば、ほかの人と共有できます。

Autodesk ViewerでDWGファイルを表示させ、マークアップしているところ

「DWG TrueView」「Autodesk Design Review」のダウンロードや動作の不具合、およびAutodesk IDの取得などについてのご質問、問合せは受けつけておりません。オートデスク社のホームページなどをご確認ください。

7日目
知っていると役に立つ機能

7日目の練習内容

7日目 知っていると役に立つ機能【練習内容】

いよいよ最終日です。ここで取り上げる項目は知らなくても図面作成に支障はありません。しかし知っていればとても役に立つことばかりです。これらの機能を理解すると、自信を持ってAutoCADを使えるようになるのでぜひ挑戦してください。

7.1 ダイナミックブロック
- 窓のブロックを作る
- 開閉方向を選べるドアを作る

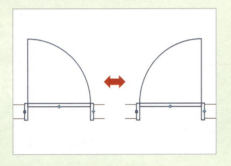

7.2 ダイナミック入力
- ダイナミック入力の準備をする
- ダイナミック入力の設定をする
- ダイナミック入力の使い方

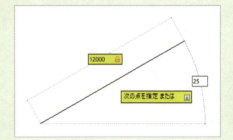

7.3 クイック選択
- クイック選択を起動する
- クイック選択の使い方

7.4 計測
- 手軽に距離を計測する
- 計測用ツールを使う
- 面積を計測する

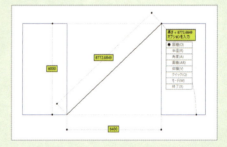

7.5 ほかの図面を読み込む(外部参照)
- 外部参照をする
- 外部参照の画層を確認する
- 外部参照した元図面を取り込む

204

7.1 ダイナミックブロック

AutoCADでは「ダイナミックブロック」と呼ばれる高機能なブロックを作成できます。

ダイナミックブロックはパラメトリック、すなわち変数を持つブロックのことで、サイズ違い（幅違いの建具や長さが異なる部品など）を1つのブロックで実現する、あるいは複数の姿（上面や側面など）を持つブロックです。

一般にパラメトリックなブロック（部品、シンボル）を作るのは難しいものですが、AutoCADのダイナミックブロックはとても作りやすく修正も簡単なので、ここで練習して身につけてください。必ず役立ちます。

ダイナミックブロックを理解するには実際に作って、使ってみるのが一番です。そこで簡単なものから試してみます。

7.1.1 窓のブロックを作る

最初に幅を自由に変えられるFix窓を作ってみます。

 練習用データは「7days_2022」フォルダの中の「Day7」フォルダの中にある「Ex701.dwg」です。

❶ 従来のブロックを作成

まず普通のブロックを作ります。

❶ 作図補助ツールの【極トラッキング】と【オブジェクトスナップ】がオンになっているのを確認する

❷ 練習用データにある窓の全図形を選択する
※窓のほかにも図形があるので範囲指定で窓だけを選択してください。

❸【ブロック-作成】ツールをクリックする

❹「ブロック定義」ダイアログの［名前］にブロック名、たとえば＜W_01＞をキーインする

❺ ［基点］の［画面上で指定］のチェックを外す

❻ ［オブジェクト］の［削除］を選択する

❼「12個のオブジェクトが選択されました」と表示されているのを確認する
※もし12以外の数字だったら キャンセル をクリックして❷からやり直してください。

❽ ［ブロックエディタで開く］にチェックが入っていないことを確認する

❾ ［挿入基点を指定］ボタンをクリックする

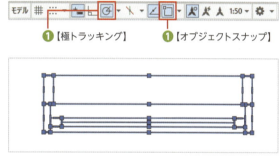

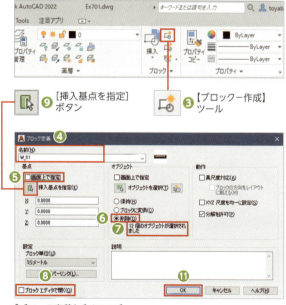

「ブロック定義」ダイアログ

❿ A点(端点)をクリックする
⓫「ブロック定義」ダイアログに戻ったら OK をクリックする

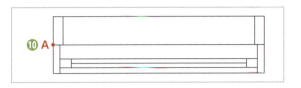

　以上の操作で窓の図形はブロックに登録され、画面から消えます。このあとブロックエディタを起動して「W_01」ブロックをダイナミックブロックに変えます。

「ブロック定義」ダイアログで[ブロックエディタで開く]にチェックを入れると、ブロックの定義をした直後にブロックエディタが自動的に開きます。ここでは練習のために手動でエディタを開きます。

2 窓のブロックをダイナミックブロックにする

　前項で作った窓のブロック「W_01」をダイナミックブロックにして、幅を自由に変えられるようにします。

❶【ブロックエディタ】ツールをクリックする

❷「ブロック定義を編集」ダイアログのリストで「W_01」を選択してから OK をクリックする
❸ ブロックオーサリングパレットの《パラメータ》タブをクリックする
❹【直線状】をクリックする

「ブロック定義を編集」ダイアログ

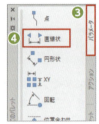
ブロックオーサリングパレット

❺ A点(端点・始点) → B点(端点・終点)をクリックしてからC点(任意点)をクリックする

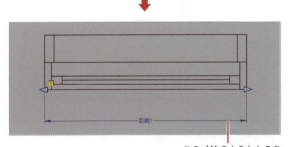

この寸法のようなものを「パラメータ」と呼ぶ

7.1 ダイナミックブロック

❻ ❺で作ったパラメータをクリックして選択し、右クリックしてメニューの【グリップ表示】→【1】をクリックする

❼ Esc キーを押す（選択解除）

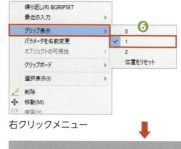

右クリックメニュー

この ❗ マークはアクション（動作）が設定されていないという意味。アクションはこのあと設定する

始点側のグリップ（三角形状のマーク）が消えた

❽ ブロックオーサリングパレットの《アクション》タブをクリックし、【ストレッチ】をクリックする

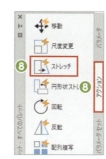

ブロックオーサリングパレット

❾ Pパラメータをクリックしてから、A点（グリップ。パラメータ点という）をクリックする

❿ B点あたり→C点あたりをクリックして「範囲」を作る

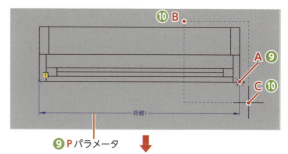

❾ Pパラメータ

⓫ 図のようにD点→E点と右から左方向に交差選択をする

⓬ スペース キーを押して選択を確定する

アクションのアイコンはアクションの種類を示し、修正時に使用するためのもので、どの位置に現れてもかまいません。

アクションのアイコンが自動的に現れる

207

⓭【エディタを閉じる】をクリックする
⓮ 保存するかを聞いてくるので「変更をW_01に保存」をクリックする

> ⑩〜⑫の操作は【ストレッチ】ツール（110ページ）のストレッチ範囲を指定する操作と似ていますが、異なるのは範囲とオブジェクト選択を別々にするところです。ダイナミックブロックのアクションの「範囲」と「オブジェクト」の関係を整理してみます。
> ◆⑪で選択したオブジェクトのみアクションの対象、ここではストレッチ（変形と移動）の対象になる
> ◆⑩で指定した範囲に完全に含まれる選択オブジェクトは移動する
> ◆⑩で指定した範囲内に一部の端点（線分なら片方の端点）が含まれる選択したオブジェクトは変形する
> ◆⑩で指定した範囲に端点が含まれていない選択オブジェクトは移動する

3 作った窓のブロックを使ってみる

前項で作った窓のダイナミックブロック「W_01」を使ってみます。練習用データは引き続き「Ex701.dwg」です。

❶ 画面の下方にある壁を表示させる（図参照）

❷【ブロック-挿入】ツールをクリックする
❸ 表示されるブロックリストで「W_01」をクリックする

❹ A点（中点）をクリックする

❺ ❹で配置したブロックをクリックして選択する
❻ 三角形状のグリップをクリックする
❼ B点（端点）をクリックする

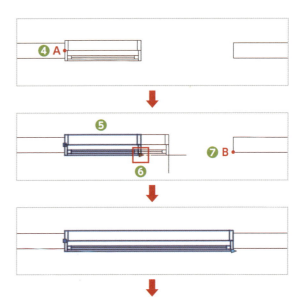

❽ Esc キーを押す（選択解除）

結果

7.1.2 開閉方向を選べるドアを作る

通常片開きドアは吊り元の位置と開き方向の違いで4種類のブロックを作りますが、ダイナミックブロックなら1つで対応できます。

 練習用データは「7days_2022」フォルダの中の「Day7」フォルダの中にある「Ex702.dwg」です。

1 従来のブロックを作成

まず普通のブロックを作ります。

❶ ドアを構成する全図形を選択する

❷【ブロック-作成】ツールをクリックする

❸「ブロック定義」ダイアログの[名前]にブロック名、たとえば＜D_01＞をキーインする

❹[基点]の[画面上で指定]のチェックを外す

❺[オブジェクト]の[削除]を選択する

❻「5個のオブジェクトが選択されました」と表示されているのを確認する

※もし5以外の数字だったら キャンセル をクリックして❶からやり直してください。

❼[ブロックエディタで開く]にチェックを入れる

❽[挿入基点を指定]ボタンをクリックする

❾ 作図ウィンドウで A 点（中点）をクリックする

❿「ブロック定義」ダイアログで OK をクリックする

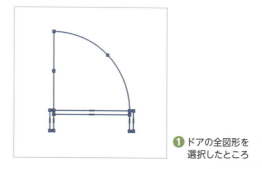

❶ ドアの全図形を選択したところ

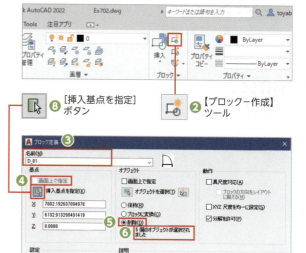

「ブロック定義」ダイアログ

以上の操作でブロックが登録され、画面がブロックエディタに切り替わります。

> 前項の窓はブロックを作ったあとでダイナミックブロックにしました。ここでは練習のために、「ブロック定義」ダイアログで「ブロックエディタで開く」にチェックを入れて、連続してダイナミックブロックを作ります。

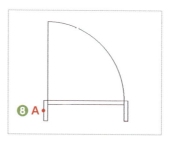

2 ドアをダイナミックブロックにする

ここからブロックエディタでの操作です。前項で作ったドアのブロック「D_01」をダイナミックブロックにして、開閉方向をクリックで変えられるようにします。

❶ ブロックオーサリングパレットの《パラメータ》タブをクリックする
❷【反転】をクリックする
❸ A点(中点)をクリックしてからA点の真下方向のB点(任意点)をクリックする

❹ 任意の位置をクリックしてラベル「反転状態1」を配置する

❺ ブロックオーサリングパレットの《パラメータ》タブの【反転】をクリックする

❻ C点(中点)をクリックしてから右水平方向のD点(任意点)をクリックする

❼ 任意の位置をクリックしてラベル「反転状態2」を配置する

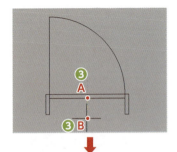
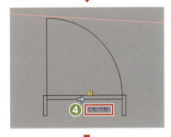
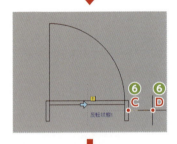
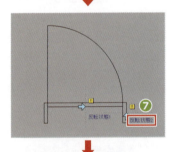

ブロックオーサリングパレット

❽ ブロックオーサリングパレットの《アクション》タブをクリックし、【反転】をクリックする

❾ ラベルの「反転状態1」をクリックする
❿ ドアの全図形を範囲指定して選択する
※ラベル「反転状態〇」を含めても含めなくてもかまいません。

⓫ スペース キーを押す(選択確定)

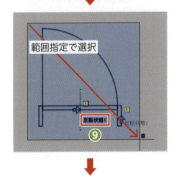

ブロックオーサリングパレット

⓬ ラベル「反転状態2」に対しても❽～⓫と同じ操作をする
⓭ アクションの設定が終わったので［エディタを閉じる］をクリックする（前項の窓のときと同じ）
⓮ 保存するかを聞いてくるので保存する（前項の窓のときと同じ）

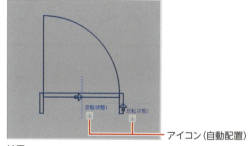
結果

❸ ドアのブロックを使ってみる

前項で作ったドアのダイナミックブロック「D_01」を使ってみます。練習用データは引き続き「Ex702.dwg」です。

❶ 画面の下方にある壁を表示する（図参照）

❷ 【ブロック－挿入】ツールをクリックする
❸ 表示されるブロックリストで「D_01」をクリックする。

❹ A点（中点）をクリックする

❺ ❹で配置したブロックをクリックして選択する

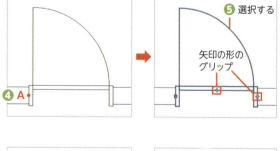

❻ 2つの矢印の形のグリップのどちらかをクリックする（図では中央のグリップをクリック）
❼ アクションを確認したら Esc キーを押す（選択解除）

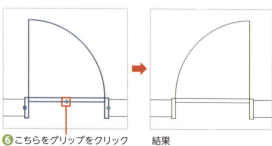
❻こちらをグリップをクリック　結果

7.2 ダイナミック入力

　本書では最初からダイナミック入力をオンにして操作をしてきたのである程度は説明してきましたが、ここでまとめてダイナミック入力の詳細について解説します。
　数値や文字を入力するとき以前のAutoCADではコマンドウィンドウを使いましたが、ダイナミック入力が登場してからは、カーソルそばの入力フィールドに数値／文字を入力するようになりました。これによりコマンドウィンドウのことを気にせずに、カーソル付近だけ見ていればよいので作図に集中できるようになりました。

7.2.1 ダイナミック入力の準備をする

　作図補助ツールに【ダイナミック入力】が表示されていると思いますが、表示されていない場合の対処法を記します。

 練習用データは「7days_2022」フォルダの中の「Day7」フォルダの中にある「Ex703.dwg」です。

❶ 作図補助ツール右端にある【カスタマイズ】をクリックする
❷ 作図補助機能のリストが表示されるので[ダイナミック入力]をクリックしてオンにする
❸ 作業ウィンドウの任意の位置でクリックする(リストを閉じる)
❹ 作図補助ツールに【ダイナミック入力】のアイコンがあることを確認する
※ここではオン／オフのどちらでもかまいません。

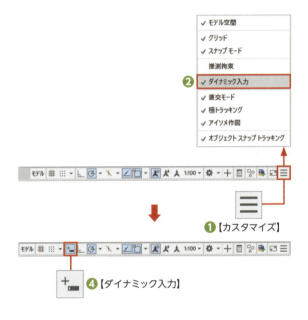

7.2.2 ダイナミック入力の設定をする

　ダイナミック入力はデフォルト設定のまま使っても問題ありませんが、デフォルトの色では見づらいという人のために変更の方法を説明します。練習用データは引き続き「Ex703.dwg」です。

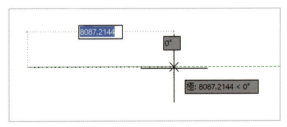

このデフォルトの色では見づらいという人がいる

212

7.2 ダイナミック入力

❶ 作図補助ツールの【ダイナミック入力】を右クリックし、【ダイナミック入力の設定】をクリックする

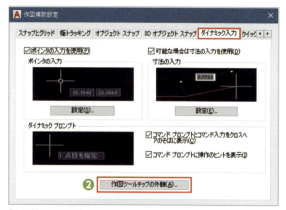

❷「作図補助設定」ダイアログの《ダイナミック入力》タブで 作図ツールチップの外観 をクリックする

「作図補助設定」ダイアログ

❸「ツールチップの外観」ダイアログで 色 をクリックする

「ツールチップの外観」ダイアログ

❹「作図ウィンドウの色」ダイアログの[インタフェース要素]で「作図ツールチップの背景」をクリックして選択する
❺ [色] 欄をクリックしてメニューを表示し、明るい色、たとえば「Yellow」(黄色)を選択する
❻ 適用して閉じる をクリックする
❼「ツールチップの外観」ダイアログ、「作図補助設定」ダイアログ、それぞれの OK をクリックして作図ウィンドウに戻る

ここで設定を変更したことにより、【ダイナミック入力】や【極トラッキング】を使用すると表示される作図ツールチップの背景色が変更されます。

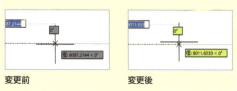

変更前　　　　　　　変更後

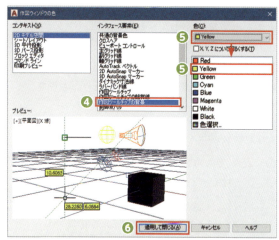

「作図ウィンドウの色」ダイアログ

7.2.3 ダイナミック入力の使い方

ダイナミック入力は作図補助ツールの【ダイナミック入力】をオンにすれば使えます。
※【ダイナミック入力】のオン／オフの切り替えのショートカットキーは F12 キーです。

これからダイナミック入力の使い方をケース別に説明します。まずは準備です。練習用データは引き続き「Ex703.dwg」です。

 練習用データは「7days_2022」フォルダの中の「Day7」フォルダの中にある「Ex703.dwg」です。

❶ 作図補助ツールの【極トラッキング】をオフにし、【ダイナミック入力】をオンする
※【極トラッキング】をオフにしたのは【ダイナミック入力】の機能を見やすくするためで、通常は【極トラッキング】をオンにしたままにします。

❶ 長さと角度で線分を描く

まず長さ（12m）と角度（25°）を指定して斜め線を描いてみます。

❶【線分】ツールをクリックする

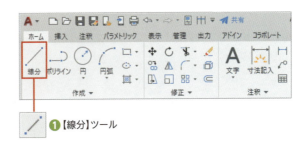

❷ 任意の位置（A点）をクリックしてから、カーソルを右斜め方向に少し動かす
※ カーソルを動かすのは入力フィールドがよく見えるようにするためで、動かさなくてもこのあとの操作に支障はありません。

❸ <12000>mm をキーインしてから Tab キーを押す
※ フィールドに「12000」の数値とロックマークが表示されます。ロックマークは数値が確定したことを示します。

❹ <25>° を入力する

❺ スペース キーを押す（ツール終了）

> ❸で Tab キーを押したのは数値（12000）を確定したあと次のフィールドをアクティブにするためです。もし Tab キーでなく Enter キーを押すと（すなわち入力）角度を指定しないまま線分を描いてしまいます。

> 水平垂直の線分なら【極トラッキング】をオンにして従来と同じ方法で（長さだけ入力して）描きます。

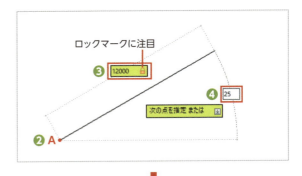

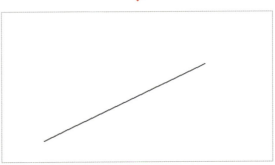

結果

❷相対座標で線分を描く

線分の2点目を相対座標（12000,6000）で指定します。

❶ スペース キーを押す（【線分】ツール再開）
※あるいは【線分】ツールをクリックします。

❷ 任意の位置（A点）をクリックする
❸ ＜12000＞mmをキーインしてから , （カンマ）キーを押す
❹ ＜6000＞mmを入力する
❺ スペース キーを押す（ツール終了）

> ❸→❹の操作は「＜12000,6000＞を入力する」を分けて記しました。今後は「＜○○,○○＞」と記します。

> コマンドウィンドウに相対座標を入力するときは＜@12000,6000＞と頭に「@」をつけますが、ダイナミック入力では「@」を省略できます（「@」をつけてもかまいません）。
> なおダイナミック入力で絶対座標を入力するときは、頭に「#」をつけます。

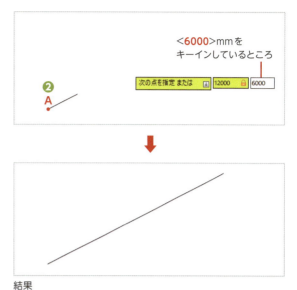

結果

❸長方形を描く

長方形を描くときは前項の相対座標による線分と同じ操作をします。12m×6mの長方形を描きます。

❶【長方形】ツールをクリックする

❷ 任意の点（A点）をクリックする
❸ ＜12000,6000＞を入力する

結果

4 円弧を描く（中心と半径）

中心と半径を指定して円弧を描いてみます。コマンドウィンドウでは＜c＞を入力しますが、ダイナミック入力でも同じです。

ここから【極トラッキング】を併用します。

❶ 作図補助ツールの【極トラッキング】をオンにする
❷【円弧】ツールをクリックする
※本書では【円弧－3点】ツールを【円弧】ツールと記しています。
❸ ＜c＞を入力する（中心から指定）

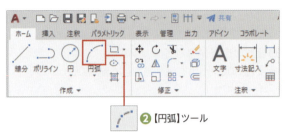
❶【極トラッキング】

❷【円弧】ツール

❹ 任意の点（A点＝中心）をクリックする
❺ A点の右水平方向にカーソルを動かし、＜6000＞mmを入力する

❻ 上方向にカーソルを動かし、＜90＞°を入力する

> ツールのオプションを↓キーで指定できます。
> ❶【円弧】ツールをクリックする
> ❷ ↓キー（下向き方向キー）を押す
> ❸ カーソルそばに[中心]と表示されるのでこれをクリックする（あるいは↓キーを押しEnterキーを押す）
>
>
> ↓キーを2回押したところ

結果

> ツールのオプションが多い場合でも↓キーを押せばカーソルのそばにオプションが表示され、その場で指定できます。このようにダイナミック入力ではカーソル付近から目を離さずに設計（デザイン）を続けられます（これをヘッドアップデザインという）。↓キーは図形の作成だけでなく編集ツールでも同じように使えます。図は【オフセット】ツールと【フィレット】ツールのダイナミック入力でのオプションです。
> それではダイナミック入力を使うならコマンドウィンドウを非表示にしてよいかというと、ビギナーは表示したままのほうが安心です。というのはコマンドウィンドウは入力に使うだけではなく、ツール／コマンドの設定モードの内容などさまざまな情報が表示されるからです。
> なおコマンドウィンドウを非表示にしたときは、F2キーを押せばコマンドウィンドウの内容と操作履歴を閲覧できます。

【フィレット】ツールの場合　【オフセット】ツールの場合

7.3 クイック選択

AutoCADのデータは一種のデータベースになっています。これを利用して設定条件に合うオブジェクトを一括して選択するのが「クイック選択」です。

オブジェクト数が多いファイルで画層を組み替えたり、不要なオブジェクトをまとめて削除したいといったときにクイック選択を使います。

7.3.1 クイック選択を起動する

クイック選択は【クイック選択】ツール（またはコマンド）で実行します。【クイック選択】ツールは次の4つの方法のいずれかで起動します。
Ⓐ【クイック選択】ツールをクリックする
Ⓑ <qse> を入力する
※「qse」は「QSELECT（クイック選択）」の短縮形です。
Ⓒ プロパティパレット（120ページ）の【クイック選択】ツールをクリックする
Ⓓ 作図ウィンドウで右クリックしてメニューを表示させ、[クイック選択]をクリックする

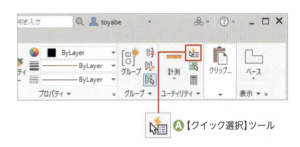
Ⓐ【クイック選択】ツール

 練習用データは「7days_2022」フォルダの中の「Day7」フォルダの中にある「Ex704.dwg」です。

右クリックしてメニューを表示させるとき、やや長めに右ボタンを押します。これは初期設定で右クリックを Enter キー（= スペース キー）として使えるようにしたためです（022ページ）。

Ⓒ【クイック選択】ツール

プロパティパレット

右クリックメニュー

7.3.2　クイック選択の使い方

　クイック選択の使い方を説明します。練習用データは引き続き「Ex704.dwg」です。
　「Ex704.dwg」には多数の点オブジェクトがあります。この点オブジェクトを削除しますが、1つずつ選択するのは面倒なのでクイック選択で一気に選択します。

 練習用データは「7days_2022」フォルダの中の「Day7」フォルダの中にある「Ex704.dwg」です。

❶ 前項で説明した4つの方法のいずれかで【クイック選択】ツールを起動する
❷「クイック選択」ダイアログの[オブジェクトタイプ]で[点]を選択する
❸[演算子]で[すべて選択]を選択する
❹[適用方法]で[新しい選択セットに含める]を選択する
❺ OK をクリックする

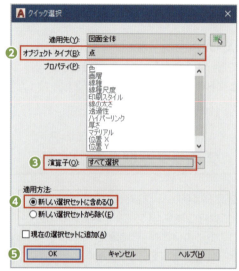
「クイック選択」ダイアログ

　以上の操作ですべての点オブジェクトを選択できます。選択すれば削除や移動などを簡単に実行できます。

❻ 選択を確認したら Esc キーを押す（選択の解除）

　以上がクイック選択の使い方です。クイック選択は複数の条件での選択や、選択したものからさらに絞り込むといった使い方もできます。しかしクイック選択を使用する場面のほとんどはこの例のように単純な選択で、それでも十分に役立ちます。

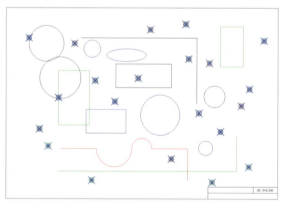
点オブジェクトをすべて選択できた

「クイック選択」ダイアログの[オブジェクトタイプ]のリストに表示されるタイプは、その図面ファイルに存在する図形のオブジェクトタイプです。

7.4 計測

図面を描いているとき操作の参考にするため、2点間の距離を知りたいことが頻繁にあります。距離ばかりでなく角度や面積、周長などを知ることもできます。これらをまとめて「計測」と呼ぶことにします。

7.4.1 手軽に距離を計測する

最初に距離の簡単な計測法を紹介します。例として2つの長方形の隙間の距離を測ってみます。

 練習用データは「7days_2022」フォルダの中の「Day7」フォルダの中にある「Ex705.dwg」です。

❶【線分】ツールをクリックする
❷ A点（端点）をクリックする
❸ B点（端点）にカーソルを合わせて（クリックしない）、長さを読み取る
❹ Esc キーを押す（ツールのキャンセル）

この方法は水平／垂直方向だけでなく斜め方向の距離計測にも使えます。

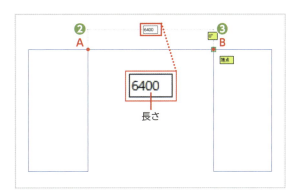

7.4.2 計測用ツールを使う

計測用ツールの使い方を説明します。練習用データは引き続き「Ex705.dwg」です。

❶【距離】ツールをクリックする

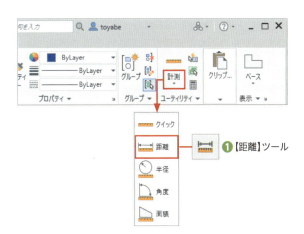

❷ A点（端点）→ B点（端点）をクリックする
❸ 図形のそばにそれぞれの結果が表示される
❹ Esc キーを押す（ツール終了）

　コマンドウィンドウにも結果が表示されます。コマンドウィンドウの文字列は選択してクリップボードにコピーできるので、文字として記入するなどいろいろと利用できます。

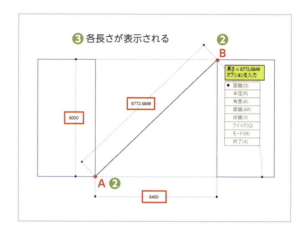

7.4.3 面積を計測する

　長方形や円の面積はプロパティパレット（120ページ）で簡単にわかりますが、一般の図形の面積を知るには【面積】ツールを使って計測します。

 練習用データは「7days_2022」フォルダの中の「Day7」フォルダの中にある「Ex706.dwg」です。

❶ 【面積】ツールをクリックする

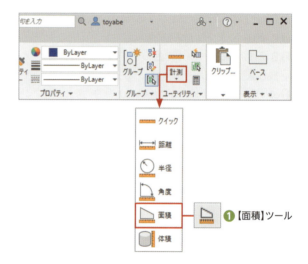

❷ A点（端点）→ B点（端点）からF点（端点）までを順にクリックする
❸ スペース キーを押す（選択確定）
❹ カーソルの近くに結果が表示されるので確認する
❺ Esc キーを押す（ツール終了）

表示される「領域」（面積）の単位は平方ミリメートル（mm²）です。これを百万で割れば平方メートル（m²）に変換されます。
図の場合は 47,250,000mm² ÷ 1,000,000 ＝ 47.25m² です。

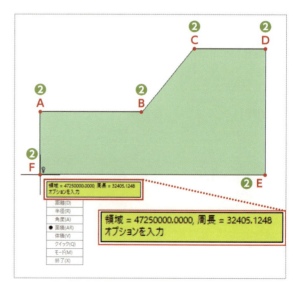

220

7.5 ほかの図面を読み込む（外部参照）

　AutoCADには、図面に別の図面を読み込む機能があり、これを外部参照といいます。たとえば建築設計では平面図をベースにして設備配線図を書き加えたり家具レイアウト図を作成する際に使います。もし設計変更になり平面図を修正したとき、平面図を外部参照にしておけば設備配線図や家具レイアウト図の平面図部分が（その図面の読み込み時あるいは印刷時に）自動的に変わり、設計変更の作業が楽になります。あるいは立面図を描くために平面図を参照したいときにも外部参照を使います。

7.5.1 外部参照をする

　外部参照の操作は簡単です。以前使用した練習用データを外部参照してみます。

 練習用データは「7days_2022」フォルダの中の「Day7」フォルダの中にある「Ex707.dwg」です。

❶《表示》タブの[パレット]パネルの【外部参照パレット】ツールをクリックする

❷外部参照パレットの【DWGをアタッチ】ツールをクリックする

❸「参照ファイルを選択」ダイアログで、「7days_2022」フォルダの中の「Day7」フォルダの中にある「Ex708.dwg」を選択し、開くをクリックする
※「Ex708.dwg」は「Ex601.dwg」と同じ内容です。

外部参照パレット

❹「外部参照アタッチ」ダイアログの[参照の種類]で[アタッチ]を選択する
❺[挿入位置]の[画面上で指定]のチェックを外す
❻[挿入位置]の[X]に<5000>をキーインし、[Y]に<5000>をキーインする
❼OKをクリックする

「外部参照アタッチ」ダイアログ

「外部参照アタッチ」ダイアログの[参照の種類]は普通[アタッチ]を使います。そして[オーバーレイ]は特殊なケースで使います。

図面Aを外部参照している図面Bを、図面Cに外部参照するとします(このように外部参照図面を含む図面を外部参照することを「ネスト」という)。

図面Bで図面Aを外部参照するときに[アタッチ]に設定すると、図面Bを外部参照した図面Cに図面Aと図面Bが表示されます。

図面Bで図面Aを外部参照するときに[オーバーレイ]に設定しておくと、図面Bを外部参照した図面Cには図面Bだけ表示され図面Aは表示されません。

大きなプロジェクトの図面をチームで描くとき、外部参照の関係が複雑になると管理が難しくなります。これを避けるために[オーバーレイ]が用意されています。

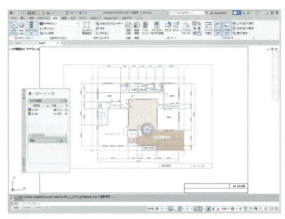

結果

外部参照は「結果」の図のように薄い表示(フェード)になります。薄く表示されても印刷すると本来の濃さで印刷できます。しかし見づらいときには次のようにして表示を濃くしてください。

❶ アプリケーションメニューの[オプション]をクリックする
❷ 「オプション」ダイアログの《表示》タブをクリックする
❸ [フェードコントロール]の[外部参照の表示]でフェードの度合いを調整する(値が「0」に近づくほど濃い表示。「0」以下は「0」と同じ)

「オプション」ダイアログの《表示》タブ

7.5.2 外部参照の画層を確認する

外部参照した図面の画層がどうなっているかを確認します。

外部参照した図面の画層の名前には、「Ex708|Window」などのように頭に「Ex708|」がついています。これらの画層は現在画層にはできませんし、これらの画層に属する個々の図形を選択することはできません。選択できないので編集もできませんが、オブジェクトスナップの対象になります。

外部参照ファイルの画層は一時画層になります。一時画層のままでもさして困ることはありませんが印刷のときなどに注意メッセージが表示されます。そこで一時画層を正規画層に変える手順を説明します。

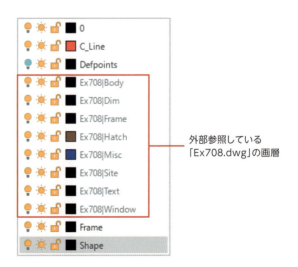

外部参照している「Ex708.dwg」の画層

7.5 ほかの図面を読み込む（外部参照）

❶《ホーム》タブの【画層プロパティ管理】ツールをクリックする

❶【画層プロパティ管理】ツール

❷ 画層プロパティ管理パレットの左側の欄で[新しい一時画層]をクリックする
※これで画層リストに一時画層だけが表示されます。
❸ 任意の画層の名前をクリックする
❹ Ctrl + A キーを押す（全選択）
❺ 画層プロパティ管理パレットの画層リスト上で右クリックし、メニューの[正規画層に変更]をクリックする

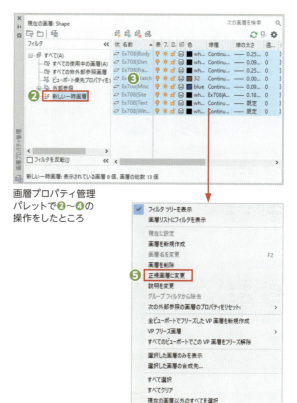

画層プロパティ管理パレットで❷〜❹の操作をしたところ

右クリックメニュー

❻ 左側の欄で「すべて」をクリックしてほかの画層も表示させる。

外部参照で読み込んだ図面の画層は正規画層に変えても変更できないので、変更したいときは元図面で行います。新たにオブジェクトを描き加えるときは新しい画層を作り、その画層に描きます。

一時画層が正規画層に変わった

7日目 知っていると役に立つ機能

223

7.5.3 外部参照した元図面を取り込む

外部参照で参照している元図面が修正されると、自動的(読み込み時と印刷時)に修正が反映されます。これが外部参照をする大きなメリットですが、元図面を修正することがなくなったら元図面が外部にあることは図面管理の点でデメリットとなります。そこで元図面を取り込んでしまいます。これを「バインド」(bind：縛る)といいます。前項で外部参照したファイルを用いて説明します。

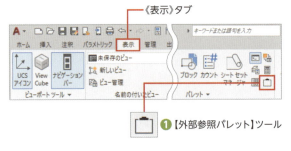

❶【外部参照パレット】ツール

 練習用データは「7days_2022」フォルダの中の「Day7」フォルダの中にある「Ex709.dwg」です。

❶《表示》タブの[パレット]パネルの【外部参照パレット】ツールをクリックする

❷外部参照パレットで、[ファイル参照]の[参照名]欄の「Ex708」を右クリックし、メニューの[バインド]をクリックする

外部参照パレット　　　　　右クリックメニュー

❸「外部参照／DGNアンダーレイをバインド」ダイアログで、[個別バインド]を選択して OK をクリックする
※バインドしても元データが消えるわけではありません。
※DGNは「MicroStastion」(他社のCAD)のデータです。

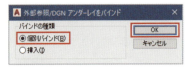

「外部参照／DGNアンダーレイをバインド」ダイアログ

---

❷で表示させた右クリックメニューの[バインド]以外の意味を説明します。

◆[アタッチ]
　アタッチは外部参照のことで、外部参照する設定をするダイアログを開きます。
◆[アタッチ解除]
　外部参照を取りやめるときに使います。
◆[再ロード]
　外部参照している元データを修正したとき、この修正内容を手動で反映させたい場合に使います。あるいはロード解除している外部参照を復元させるときにも使います。
◆[ロード解除]
　[アタッチ解除]は完全に外部参照を取りやめますが、一時的に切り離したいときに[ロード解除]します。[ロード解除]は、画面から外部参照を消したいとき、あるいは描画レスポンスを上げたいときに用います。ロード解除しても　[再ロード]でいつでも復元できます。

「外部参照／DGNアンダーレイをバインド」ダイアログの[個別バインド]と[挿入]の違いを説明します。

◆[個別バインド]
　外部参照していた元データを取り込むとき、元データにあった画層やブロック名などが、後から加えた画層名などと重ならないようにファイル名つきの名前になります。
　[個別バインド]は名前が長くなり、項目数が増える欠点がありますが、バインドして思わぬ結果になるという危険がありません。ファイル名なしにしたいときは、次の[挿入]にします。
◆[挿入]
　元データにあった画層やブロック名などと、後から加えた画層名と同名のものがあったとき、たとえばA画層が同名なら元データのA画層のオブジェクトは新データのA画層に挿入されます。画層の場合はよいのですが、同名のブロック名があったとき元データにあったブロックは新データのほうのブロックに変わってしまいます。
　[挿入]は名前が短くなり項目数が少なくなる長所があります。

7.6 選択の循環

図形をクリックして選択するとき、クリックした位置に2つ以上の図形があった場合は新しい（最近描いた）図形が選択されますが、ほかの図形を選択したいときに使うのが「選択の循環」です。

「Ex712.dwg」には3つの長方形が描かれています。図に示すあたりをクリックすると青色の長方形が選択されます。これは青色の長方形が新しい図形だからです。同じ場所をクリックして赤色の長方形を選択するにはどうするかを説明します。

 練習用データは「7days_2022」フォルダの中の「Day7」フォルダの中にある「Ex710.dwg」です。

❶ 作図補助ツールの【選択の循環】をクリックしてオンにする
※【選択の循環】が表示されていないときは【ダイナミック入力】と同じように表示させてください（212ページ）。

❷ 図に示すあたりをクリックする

❸ 「選択」ダイアログが開いて候補の図形のリストが表示されるので、赤色の「ポリライン」（長方形）をクリックする

図形が重なっているとき新しい図形ほど前面（手前）にありますがこれを入れ替えられます。図形を選択して右クリックし、メニューの【表示順序】で前面あるいは背面に移動できます。

右クリックメニュー

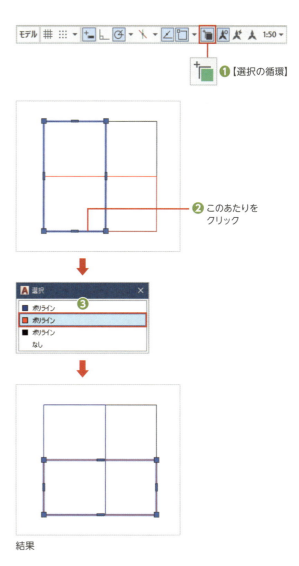

❶【選択の循環】

❷ このあたりをクリック

結果

7.8 自動調整寸法

寸法には図形を変形させたときに寸法が自動的に追従する「自動調整寸法」という機能があります。

寸法を自動調整にするか否かは「オプション」ダイアログの《基本設定》タブの「新しい自動調整寸法を作成」で切り替えられます。設計変更が予想される詳細図などで使うと便利な機能です。

寸法の自動調整を解除したり、自動調整でない寸法を自動調整寸法に定義したりすることもできますが、このようなケースはまれですし本書の範囲を超えるので説明を省略します。

「オプション」ダイアログの《基本設定》タブ

チェックを入れてから描いた寸法は自動調整寸法になる

寸法が自動調整寸法になっているかを確かめたいときは、【注釈モニター】を使うと簡単にわかります。
❶作図補助ツールの【注釈モニター】をオンにする
❷寸法に!マークが付いているかを確認する
自動調整寸法ではない寸法に!マークがつきます。

❶【注釈モニター】

「!」マークが付いた寸法は自動調整寸法ではない

❷「Ex601.dwg」で確認してみた。本書の練習用データでは自動調整寸法を使っていない

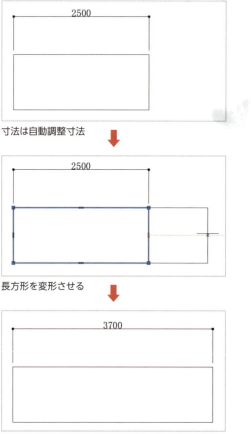

寸法は自動調整寸法

長方形を変形させる

変形に合わせて寸法が変わる

INDEX（索引）

数字／英字

- AutoCAD 2022について — 010
- AutoCADから出力できるファイル形式 — 194
- AutoCADとAutoCAD LT — 013
- AutoCADの画面と各部の名称 — 025
- AutoCADを起動する — 018
- AutoCADを終了する — 020
- Autodesk Design Review — 202
- Autodesk Viewer — 202
- ByBlock — 075
- ByLayer — 075, 125
- DesignCenter — 073, 074, 080
- 【DesignCenter】ツール — 073
- DWF — 194, 199
- DWG — 194
- DWG TrueView — 201
- DWGファイルで出力する方法 — 196
- DWGファイルのバージョン — 195
- DWT — 194
- DXF — 194, 198
- DXFファイルで出力する方法 — 198
- DXFファイルのバージョン — 198
- DXFファイルの留意点 — 199
- EPS — 194
- ESCキー — 035
- NURBS曲線を描く — 064
  - ↳ 始点／終点の接線方向を編集する — 065
  - ↳ 編集する — 064
- PDF — 195, 200
- 「Plot Styles」ウィンドウ — 182
- True Color — 116
- UCSアイコン — 025
- View Cube — 025
- WMF — 194

あ行

- アプリケーションメニュー — 012, 025
- 異尺度対応オブジェクト — 166
  - ↳ [異尺度対応オブジェクトの尺度] — 171
  - ↳ 異尺度対応と文字高さ — 151
  - ↳ 異尺度対応のアイコン — 151
- 【移動】ツール — 096
- 色従属印刷スタイル — 180
- 色従属印刷スタイルテーブル — 181
- 印刷 — 175
  - ↳ 印刷スタイルテーブル — 179
  - ↳ 「印刷スタイルテーブルエディタ」ダイアログ — 182, 184
  - ↳ 印刷スタイルテーブルの編集と割り当て — 185
  - ↳ 印刷スタイルテーブルの内容 — 181
  - ↳ 印刷スタイルの切り替え — 180
  - ↳ 印刷スタイルを画層に設定する — 186
  - ↳ [印刷スタイル管理] — 181, 184
  - ↳ 【印刷】ツール — 177, 179, 185
  - ↳ 「印刷－モデル」ダイアログ — 177, 178
  - ↳ 印刷時の線の太さ — 187
  - ↳ とりあえず印刷してみる — 177
  - ↳ 名前の付いた印刷スタイル — 180
  - ↳ 名前の付いた印刷スタイルテーブル — 184
  - ↳ 用意されている印刷スタイルテーブル — 181
- インデックスカラー — 115
- 【上書き保存】ツール — 030
- 【円弧－3点】ツール — 049
- 【円形状配列複写】ツール — 104
- 【円弧】ツール — 049, 050, 216
- 円弧を描く — 049
  - ↳ 3点を指定して円弧を描く — 049
  - ↳ 中心から円弧を描く（右回り） — 050
  - ↳ 中心から円弧を描く（左回り） — 049
  - ↳ 中心と角度で円弧を描く — 051
- 【延長】ツール — 089, 090
- 【円】ツール — 057
- 【円－中心, 半径】ツール — 056
- 円を描く — 056
  - ↳ 2点を指定して円を描く — 057
  - ↳ 3円に接する円 — 058
  - ↳ 3点を指定して円を描く — 057
  - ↳ 接円を描く — 058
  - ↳ 中心点と半径を指定して円を描く — 056
- オブジェクト — 013
- オブジェクトスナップ — 026, 134
  - ↳ 【2点間中点】コマンド — 140
  - ↳ 【XYZフィルタ】コマンド — 140
  - ↳ 一時オブジェクトスナップを使う — 138
  - ↳ 【オブジェクトスナップのスナップモード】 — 136
  - ↳ 【オブジェクトスナップ】の設定 — 027, 044, 134
  - ↳ オブジェクトスナップを用いて直線を描く — 044
  - ↳ 【解除】コマンド — 140
  - ↳ 【基点設定】コマンド — 139
  - ↳ 【スナップモード】 — 026, 133
  - ↳ 【定常オブジェクト スナップ設定】ツール — 140
- オブジェクトスナップトラッキング — 141
  - ↳ 【オブジェクトスナップトラッキング】 — 026, 141
  - ↳ 使用例－① — 141
  - ↳ 使用例－② — 142
- 【オブジェクトプロパティ管理】ツール — 120
- 【オブジェクト範囲ズーム】ツール — 033
- 「オプション」ダイアログ — 022
- 【オフセット】ツール — 084

か行

- カーソル — 025
- カーブフィット — 063
- 【回転】ツール — 105, 106
- 外部参照 — 221
  - ↳ 「外部参照／DGNアンダーレイをバインド」ダイアログ — 224
  - ↳ 「外部参照アタッチ」ダイアログ — 222
  - ↳ 外部参照した元図面を取り込む — 224
  - ↳ 外部参照の画層を確認する — 222
  - ↳ [外部参照の表示] — 222
  - ↳ 外部参照パレット — 221, 224

227

↳【外部参照パレット】ツール	221
【角度寸法記入】ツール	163, 164
【カスタマイズ】	026
画層（レイヤ）	122
↳「0」画層	075, 124
↳1つの画層だけを表示させる	128
↳「Defpoints」画層	124
↳オブジェクトが属する画層を知る	130
↳オブジェクトを指定の画層に複写する	131
↳【オブジェクトを指定の画層に複写】ツール	131
↳オブジェクトを別の画層に移動する	130
↳画層の設定などをする（レイアウト）	192
↳画層プロパティ管理パレット	122, 223
↳画層を使う	124
↳【画層削除】ツール	129
↳削除する	129
↳作成する	122
↳【選択表示】ツール	128, 131
↳【選択表示解除】ツール	129, 131
↳【全画層表示】ツール	125, 128
↳【全画層フリーズ解除】ツール	128
↳【全画層フリーズ解除】ツール	126
↳全画層を表示させる	128
↳名前	124
↳表示／非表示を切り替える	125
↳「非表示」と「フリーズ」の違い	126
↳フリーズ／フリーズ解除する	126
↳ロック／ロック解除する	127
画像ファイル	195
画面コントロール機能	032
画面コントロール用ツール	033
画面を整理する	023
カラーブック	116
キーインと入力	011
【鏡像】ツール	107
【極トラッキング】	026
↳極トラッキングで回転する	105
↳【極トラッキング】の設定	027, 042
【距離】ツール	219
クイックアクセスツールバー	025, 157
【クイック新規作成】ツール	031, 039
【クイック選択】ツール	217, 218
［クイックプロパティ］パネル	121
【矩形状配列複写】ツール	102
クリック	010
グリッド	132
↳グリッドの非表示	023
↳グリッドを設定する	132
グリップ編集	098
↳移動する	098
↳線を変形する	108
↳複写する	099
計測	219
↳計測用ツールを使う	219
↳面積を計測する	220
【結合】ツール	095

コーナー処理をする	091
↳角度と距離を指定して面取りする	093
↳距離を指定して面取りする	093
↳端部を揃える	091
↳フィレットを生成する	092
↳フィレット半径	092
【構築線】ツール	046, 048
構築線を描く	046
↳水平／垂直の構築線を描く	046
↳斜めの構築線を描く	048
コマンドとツール	013
コマンドの起動	011
コマンドラインウィンドウ	024

さ行

【削除】ツール	038
作図ウィンドウ	025
作図ウィンドウの色を白にする	021
【作図グリッドを表示】	023, 026, 132
「作図補助設定」ダイアログ	132, 213
作図補助ツール	025
作図補助ツールを設定する	027
縮尺を設定する	166
自動調整寸法	226
【尺度変更】ツール	108
［終了］コマンド	020
情報センター	025
新規図面を作成する	031
《スタート》タブ	019, 025, 029
ステータスバー	025
【ストレッチ】ツール	110
スナップ	132
【スプライン】ツール	064
スプラインフィット	063
【すべて選択】コマンド	036
図形の色	114
↳［オブジェクトの色］	114
↳AutoCADと線の色・太さ	117
↳「色選択」ダイアログ	115, 116, 123
図形の選択	036
↳1つずつ選択する	037
↳交差選択	037
↳選択を解除する	036
↳全部選択する	036
↳範囲指定で選択する	037
↳窓選択	037
図形の線の太さ	117
↳［線の太さ］	117
↳「線の太さ」ダイアログ	123
↳【線の太さの表示／非表示】	117, 187
図形の線種	118
↳グローバル線種尺度	119
↳［線種］	118
↳「線種管理」ダイアログ	118
↳「線種のロードまたは再ロード」ダイアログ	118
↳線種を準備する	118

↳「線種を選択」ダイアログ	123
↳ 線種を使う	119
図形を移動する	096
↳ 2点を指定して移動する	096
↳ 直接距離入力で移動する	097
図形を複写する	100
↳ 基点と目的点を指定して複写する	100
↳ 直接距離入力で複写する	101
図形を回転する	105
↳ 角度を指定して回転する	106
↳ ほかの図形に合わせて回転する	106
図形を鏡像にする	107
図形を削除する	038
図形を変形する	108
↳ 拡大／縮小する	108
↳【長さ変更】ツールで変形する	109
↳ 伸ばす／縮める	110
寸法	155
↳ 円を用いた角度寸法を記入する	164
↳ 角度寸法を記入する	163
↳「寸法スタイル管理」ダイアログ	155
↳「寸法スタイル管理」ツール	155
↳ 寸法スタイルを変える	163
↳「寸法スタイルを新規作成」ダイアログ	155
↳ 寸法スタイルを設定する	155
↳ 寸法の異尺度対応	170
↳ 寸法用ツールを準備する	157
↳ 寸法を記入する	158
↳ 斜め方向の寸法を記入する	160
↳ 半径寸法を記入する	161
正多角形を描く	059
↳ 正多角形の基本的な描き方	059
↳ 辺から正多角形を描く	060
設定の保存とリセット	024
【選択されたビューポートの尺度】	169
【選択の循環】	225
線の一部を削除する	094
【線分】ツール	040, 042, 044, 214, 219
線を描く	039
↳ 座標を入力して斜め線を描く	043
↳ 水平・垂直線を続けて描く	041
↳ 水平線を描く	040
↳ 相対座標で線分を描く	215
↳ 斜め線を描く	042
↳ 不連続な水平線と垂直線を描く	041
線を切り取る	086
↳ 2つの切り取りエッジを指定して切り取る	086
↳ 交差フェンス	088
↳【トリム】ツールで切り取りエッジを指定して切り取る	086
↳【トリム】ツールの実用的な操作法	087
↳ フェンス選択で一気にトリムする	088
線を延長する	089
↳【延長】ツールで境界エッジを指定して延長する	089
↳【延長】ツールの実用的な操作法	090
線を結合する	095
操作に失敗したときは	035

た行

ダイナミックブロック	205
↳ 開閉方向を選べるドアを作る	209
↳ ドアのブロックを使ってみる	211
↳ ドアをダイナミックブロックにする	210
↳ 窓のブロックをダイナミックブロックにする	206
↳ 窓のブロックを作る	205
↳ 窓のブロックを使ってみる	208
ダイナミック入力	212
↳【ダイナミック入力】	026, 212, 214
↳ 準備をする	212
↳ 設定をする	212
↳ 使い方	214
楕円と楕円弧を描く	066
↳ 3点を指定して楕円を描く	066
↳ 楕円弧を描く	067
↳【楕円】ツール	067
↳【楕円－軸, 端点】ツール	066
↳ 中心から楕円を描く	066
タスクバーにピン留め	019
タブ	013
ダブルクリックと2回クリック	011
【長方形】ツール	052, 215
長方形を描く	052
↳ 正確なサイズの長方形を描く	052
↳ 長方形をフリーに描く	052
【直列寸法記入】ツール	159, 160, 162, 164
【注釈オブジェクトを表示】	026, 168
【注釈尺度】	026, 167, 168, 170
【注釈モニター】	226
ツールチップ	045
ツールのオプション	216
ツールの起動とオプション	034
【ツールパレット】ツール	078
↳ ハッチング処理する	079
↳ ブロックを配置する	078
↳ 使う	078
データ変換	194
↳ ほかのCADにDWGを読み込ませるときの注意点	197
デフォルト	013
点オブジェクトを描く	068
↳【点スタイル管理】ツール	068
↳ 点スタイルを設定する	068
↳ 単独点のコマンド	069
テンプレート	031, 039
「テンプレートを選択」ダイアログ	031, 039, 167
テンプレートを開く	039
[閉じる]ボタン	020, 031
ドライバソフトについて	175
ドラッグ・ドロップ	011
【トリム】ツール	086, 088

な行

【長さ寸法記入】ツール	158
【長さ変更】ツール	109
ナビゲーションバー	025, 033

229

【名前削除】	077, 129
【名前を付けて保存】ツール	030, 198
入力	011

は行

配列複写する	102
↳1方向に配列複写する	103
↳2方向に配列複写する	102
↳回転させながら配列複写する	104
↳【複写】ツールで配列複写する	103
ハッチング処理をする	070
↳複雑な範囲のハッチングを作成する	071
↳《ハッチング作成》タブ	070
↳ハッチングで塗り潰しする	072
↳ハッチングの基本的な描き方	070
【ハッチング】ツール	070, 072
【半径寸法記入】ツール	161
ビューポート	191
↳【ビューポート, 矩形】ツール	191
↳【ビューポート尺度】	191
↳【ビューポートのロック】	191
↳ビューポートの枠線	193
↳ビューポートを作成する	191
ビューワー	200
【開く】ツール	029
ファイルを閉じる	031
ファイルを開く	029
ファイルを保存する	030
【フィレット】ツール	091, 092
↳【フィレット】ツールが非トリムモードの場合	092
【複写】ツール	100
【複数点】ツール	069
【部分削除】ツール	094
ブロックを使う	073
↳角度を変えてブロックを配置する	074
↳【ブロック作成】ツール	075, 205, 209
↳【ブロックエディタ】ツール	206
↳ブロックオーサリングパレット	206, 210
↳ブロックのネスト	075
↳ブロックをDesignCenterで配置する	073, 076
↳ブロックをツールパレットに登録する	080
↳ブロックを作る	074
↳ブロックを配置する	076
↳ブロックを分解する	077
↳「ブロック挿入」ダイアログ	074
↳【ブロック挿入】ツール	076, 208, 211
↳「ブロック定義」ダイアログ	075, 205, 209
【プロッタ管理】ツール	175
プロパティパレット	056, 067, 120, 165
↳使い方	121
↳呼び出す	120
【分解】ツール	077
ページ設定をする (レウアウト)	190
ページ設定を保存する	179
平行図形を生成する	084
↳【オフセット】ツールで同心円を生成する	085

↳【オフセット】ツールで平行図形を生成する	084
↳通過点を指定して平行図形を生成する	085
【平行寸法記入】ツール	160
ホイール (マウス)	010, 032
【ポリゴン】ツール	059, 060
【ポリライン】ツール	061
【ポリライン編集】ツール	062
ポリラインを描く	061
↳ばらばらの図形をポリラインに変換する	062
↳ポリラインを曲線に変換する	063
本書で使用している用語と記号	010
本書について	010
本書をご購入・ご利用になる前に	002

ま行

マーカー	045, 135
【窓ズーム】ツール	033
【マルチテキスト】ツール	152
右クリックをカスタマイズする	022
【面積】ツール	220
【面取り】ツール	093
文字	149
↳フォントについて	149
↳マルチテキストオブジェクトを修正する	154
↳【マルチテキスト】ツールを使う	152
↳「文字スタイル管理」ダイアログ	150
↳文字スタイルを作成する	149
↳【文字スタイル管理】ツール	149
↳文字の異尺度対応	168
↳文字列を修正する	152
↳文字を記入する	150
【文字記入】ツール	150
モデルタブとレイアウトタブ	025, 189
【モデルまたはペーパー空間】	169, 191
【元に戻す】ツール	035

や行

【やり直し】ツール	035
「ユーザインタフェースをカスタマイズ」ダイアログ	157
用紙の線 (図面枠)	167

ら行

リボン	025
リボンとディスプレイの幅	028
リボンのタブ	025
リボンのパネル	025
レイアウトで確認する	169
レイアウトを設定する	189
練習用データのダウンロードについて	014
ロールオーバーツールチップ	130
ロールオーバーツールチップ	061, 075, 121
ロック画層のフェード	127

送付先FAX番号 ▶ 03-3403-0582　　メールアドレス ▶ info@xknowledge.co.jp
インターネットからのお問合せ ▶ https://xknowledge.co.jp/contact/book

FAX質問シート　7日でおぼえるAutoCAD［2022対応］

以下を必ずお読みになり、ご了承いただいた場合のみご質問をお送りください。

- 「本書の手順通り操作したが記載されているような結果にならない」といった本書記事に直接関係のある質問のみご回答いたします。「このようなことがしたい」「このようなときはどうすればよいか」など特定のユーザー向けの操作方法や問題解決方法については受け付けておりません。
- 本質問シートでFAXまたはメールにてお送りいただいた質問のみ受け付けております。お電話による質問はお受けできません。
- 本質問シートはコピーしてお使いください。また、必要事項に記入漏れがある場合はご回答できない場合がございます。
- メールまたはインターネットからのお問合せの場合は、書名とFAX質問シートの項目を必ずご入力の上、送信してください。
- ご質問の内容によってはご回答できない場合や日数を要する場合がございます。
- パソコンやOSそのもの、ご使用の機器や環境についての操作方法・トラブルなどの質問は受け付けておりません。

ふりがな

氏名　　　　　　　　　　　　　　　　　　　年齢　　　歳　　　性別　男・女

回答送付先　（FAXまたはメールのいずれかに○印をつけ、FAX番号またはメールアドレスをご記入ください）

FAX　・　メール

※送付先ははっきりとわかりやすくご記入ください。判読できない場合はご回答いたしかねます。電話による回答はいたしておりません。

ご質問の内容　※例）3.7.1の手順4までは操作できるが、手順5の結果が別紙画面のようになって解決しない。

【本書　　　　ページ　～　　　　ページ】

ご使用のWindowsのバージョン　※該当するものに○印をつけてください。
　　Windows 8.1　　　Windows 10　　　その他（　　　　　　　　）
ご使用のAutoCADとそのバージョン　※例）AutoCAD 2022、AutoCAD LT 2022、AutoCAD Plus 2022　など

【著者紹介】

鳥谷部　真（Toyabe Makoto）
1946年生まれ。東京工業大学建築学科卒業
一級建築士。

著書
『AutoCAD LTで学ぶ建築製図の基本』
『AutoCADで3D攻略読本』
『建築CAD検定試験公式ガイドブック』
『form・Z+bonzai3d オフィシャルトレーニングブック』
『徹底解説 VECTORWORKS 2017-2018』
(以上、エクスナレッジ刊) など多数

7日でおぼえるAutoCAD
AutoCAD 2022対応

2021年8月12日　初版第1刷発行

著　者　鳥谷部 真

発行者　澤井 聖一
発行所　株式会社エクスナレッジ
　　　　〒106-0032　東京都港区六本木7-2-26
　　　　https://www.xknowledge.co.jp/

問合せ先
編　集　231ページのFAX質問シートを参照してください
販　売　TEL 03-3403-1321／FAX 03-3403-1829／info@xknowledge.co.jp

無断転載の禁止
本誌掲載記事（本文、図表、イラスト等）を当社および著作権者の承諾なしに無断で転載（翻訳、複写、データベースへの入力、インターネットでの掲載等）することを禁じます。
ⓒ 2021　Makoto Toyabe